JN067714

OUTLINING YOUR NOVEL WORKBOOK:
STEP-BY-STEP EXERCISES FOR PLANNING YOUR BEST BOOK
K.M.WEILAND

穴埋め式

アウトラインから書く
小説執筆ワークブック

K.M.ワイランド＝著　シカ・マッケンジー＝訳

FILM ART
フィルムアート社

Outlining Your Novel Workbook: Step-by-Step Exercises for Planning Your Best Book
Copyright © 2014
K.M.Weiland

Japanese translation rights arranged with K.M.Weiland
through Japan UNI Agency, Inc., Tokyo

ストーリーを私の言葉にしてくれた、愛する救い主に捧げる。

そして、また、ゾンビと戦い、チョコレートをこよなく愛し、どんなに忙しい時もブレインストーミングに加わり、助けてくれるアンジェラ・アッカーマンに。

Contents

【凡例】

● 本文中で扱われている書籍において未邦訳のものは、
　原題のママ記載し（未）と記した。

● 書籍、映画、テレビドラマは『』で示した。

はじめに

　アウトラインとは何でしょう?　それはロードマップ?　作戦図?　チェックリスト?

　どれも正解——そして、それ以上の機能があります。既刊『アウトラインから書く小説再入門』で述べたとおり、アウトラインの捉え方は自由です。ストーリーのプランを複数のノートに書き溜めてもいいし、付箋にわずかなアイデアを走り書きするだけでもかまいません。アウトラインの作り方は重要ではありません。ただひとつ大切なのは、小説という大きなパズルを完成させるあなたにとって役立つか否か、ということです。

■ アウトラインが小説の執筆を簡単にする理由

　小説は単純に見えるかもしれません。始まりがあり、真ん中があり、終わりがあります。2、3人の登場人物たちに英雄的な旅や恋愛をさせればできあがり!　確かに、それでストーリーにはなりますが、いきなり素材を混ぜ合わせて書くその人自身も、確かなレシピがないことを意識しているでしょう。基本の素材を扱うだけで精一杯なはずです。

　カップ麺ならお湯を注ぐだけですが、小説は本格的なパスタのように、一から作らなくてはなりません。たまには運よく、すんなりできる時もありますが、そうした魔法のような創作には、論理的な裏付けもまた、たくさん存在するのです。

　覚えておくべきことはたくさんあります。でも、初稿を書くのに熱中している時に、それらを思い出すのは至難の業。はやる気持ちで卵と小麦粉を投入し、名人のレシピを見ないで傑作を期待するなら、運や奇跡が必要です。

　しかし、あらかじめアウトラインで準備をすれば、すべての素材を絶妙な加減で書き上げ、自信をもって完成させることができます。

　簡潔に見えても、ストーリーは複雑。いいストーリーは、パズルのピースが全部、ぴったりと収まっているのです。頭の中でランダムに思い浮かべたものが、完璧な形で転がり出てくるわけではありません。むしろ、最初と最後がかみ合うように計画された、全体的なまとまりがあるものです。書き手がエンディングを知らなければ、それに合うオープニングの書き方もわからないでしょう。ストーリーを紡ぐ要素を知らなければ、それを支える枠組みの作り方もわかりません。

　そこで、アウトラインを作ります。

　アウトラインを作れば、小さなディテールを編み合わせる前に、作品の全体像がつかめます。確信をもって初稿が書けて、書き直しに費やす時間がぐんと減るでしょう。

■ このワークブックの使い方

　2011年に原書を刊行した『アウトラインから書く小説再入門』には驚くほどの反響がありました。小説のこまかな部分に整合性をもたらすためには計画が必要だと、ほとんどの書き手が認めています。それにも拘らず、アウトラインとは数字を振ったリストだという固定概念を持ち続ける人もたくさんいます。

　『アウトラインから書く小説再入門』では、あらすじを1文で表すプレミスの作成、プロットのブレインストーミング、キャラクターへのインタビュー、ストーリーの起伏を生み出すアーク作りなどの実践的な方法をご紹介しました。このワークブックにあるのは私が、自分の歴史小説や空想小説を書く時に編み出した方法ですが、どんな書き手のニーズにも無限に応用できます。

　このワークブックは『アウトラインから書く小説再入門』に掲載した質問を網羅し、さらに発展させています。エクササイズの概要と共に、既存の書籍や映画のプロットやストーリー、私が作ったアウトラインを例として各章に挙げ、それに対応する『アウトラインから書く小説再入門』の頁も載せています。ワークブックに書き込む前に、教科書のようにして参照して頂ければ応用もしやすくなるでしょう。

　このワークブックでは、あなたのストーリーの全体像とディテールとを行き来し、章を追うごとに構想が固まるようになっています。質問の答えがしっかり書けたら、その分だけ、小説を書く準備が整っているということ。でも、書けない部分はどんどん後回しにしていきましょう。ただし、いくつかの項目（伏線や舞台設定など）は、他のステップを書き終えるまで埋められない場合もあります。ワークブックはあくまでも考える過程です。あなたが不自由さを感じる質問や、自分のストーリーには当てはまらない質問には答えなくてかまいません。

　ワークブックの空欄が足りない場合もあるでしょう。あらかじめ、ノートを別に用意すれば万全です。

　アウトラインを活用すれば、実践的で的を絞った執筆ができます。今までの古い手順で落ち着いてしまうのはもったいないこと。このワークブックを使って、あなたが書きたいストーリーを深く掘り下げ、アウトラインの効果を存分に引き出して下さい。

第 1 章

プレミス

　アウトラインを作ろうと思う頃には、すでに数日間から数年間、ストーリーのアイデア
を温めてきたことでしょう。わからない部分が多くても、そろそろ始めていい時です。

　主な登場人物たちやいくつかのシーン、おおまかな葛藤と対立が思い描けていたり、エ
ンディングをどうするかもなんとなく想像できていたりするでしょう。

　まず、キャラクターとプロットとテーマを1文か2文で伝える「プレミス」を書きましょう。
主人公は誰で、何をしようとするか？　それを阻む人物や物事は？　失敗すれば何を失うか？
これらをはっきりさせる短文を書くのです。

　それは、あなたの決意表明です。書きたいストーリーの内容だけでなく、その種類も考
えましょう。それは、ぐいぐい読ませるアクションスリラー？　ゆったりとした大河小説？
華麗な歴史ロマンス？

　今、ここで書いたプレミスは確定的なものではありません。後で気が変わったら、ため
らわずに書き換えて下さい。とりあえず、現時点でのアイデアをひとつかふたつの文に煮
詰めておけば（方法はこの後ご説明します）、次にすべきことがわかります。

第 2 章
第 3 章
第 4 章
第 5 章
第 6 章
第 7 章

第1章

第2章

第3章

第4章

第5章

第6章

第7章

「もしも（what if）」の質問

どんなストーリーもコンセプト（宇宙での戦争、恋に落ちるふたり、迷子になる犬など）から始まります。その根源は「もしも（what if）」という問いです。はっきりと言葉にしていなくても、小説やストーリーや記事はみな、ある問いをめぐって書かれています。

あなたのストーリーについて、「もしも」の質問を思いつく限り挙げて下さい。ばかばかしいアイデアでも大丈夫。実際に作品には書き込まないものが大半です。だから、ここでは自分に規制をかけないことがポイントです。どんなにクレイジーなことでも全部書き出してみれば、意外なお宝が見つかるかもしれません。

2、3のアイデアを選び、「もしも、何々が起きたとして、さらにこうしたことも起きたとしたら? または、その代わりにこうなったら?」と想像してみましょう。可能性は無限にあります。後で新しいアイデアが浮かんだら、この頁に戻って追加するのを忘れずに。

（「発想の幅を広げる『もしも（what if）』クエスチョン」『アウトラインから書く小説再入門』 52-54頁）

例

■ もしも、**少年の知能が身体より早く発育したら**
?
（オースン・スコット・カード作『エンダーズ・シャドウ』）

■ もしも、**孤児が見知らぬ富豪から巨額の遺産を贈られたら**
?
（チャールズ・ディケンズ作『大いなる遺産』）

■ もしも、**子どもたちが殺人サバイバルゲームに強制的に参加させられたら**
?
（スーザン・コリンズ作『ハンガー・ゲーム』）

エクササイズ

■ もしも、✎＿＿＿＿＿＿＿＿＿＿＿＿＿＿＿＿＿＿＿＿＿＿ ?

■ もしも、✎＿＿＿＿＿＿＿＿＿＿＿＿＿＿＿＿＿＿＿＿＿＿ ?

■ もしも、✎＿＿＿＿＿＿＿＿＿＿＿＿＿＿＿＿＿＿＿＿＿＿ ?

■ もしも、✎＿＿＿＿＿＿＿＿＿＿＿＿＿＿＿＿＿＿＿＿＿＿ ?

■ もしも、✎＿＿＿＿＿＿＿＿＿＿＿＿＿＿＿＿＿＿＿＿＿＿ ?

■ もしも、✎ _____ ?

■ もしも、✎ _____ ?

■ もしも、✎ _____ ?

■ もしも、✎ _____ ?

■ もしも、✎ _____ ?

■ もしも、✎ _____ ?

■ もしも、✎ _____ ?

■ もしも、✎ _____ ?

■ もしも、✎ _____ ?

■ もしも、✎ _____ ?

■ もしも、✎ _____ ?

■ もしも、✎ _____ ?

■ もしも、✎ _____ ?

■ もしも、✎ _____ ?

■ もしも、✎ _____ ?

■ もしも、✎ _____ ?

■ もしも、✎ _____ ?

■ もしも、✎ _____ ?

■ もしも、✎ _____ ?

■ もしも、✎ _____ ?

予測されること

「もしも」の質問を「予測されることは?」に置き換えることもできます。まず平均的な読者が「たぶん、こうなるだろう」と予測しそうなことを列挙しましょう。その下に、それとは異なる展開を書き、ふくらませたいアイデアのチェック欄には印を入れて下さい。

(「予測されること」『アウトラインから書く小説再入門』 54-56頁)

例

■ たぶん、**主人公はヒロインと結ばれる。**　　　　　☑

主人公はヒロインと結ばれない。　　　　　□

■ たぶん、**悪者は死ぬ。**　　　　　□

悪者は死なない。　　　　　☑

エクササイズ

■ たぶん、🖊_____　□

🖊_____　□

■ たぶん、🖊_____　□

🖊_____　□

■ たぶん、🖊_____　□

🖊_____　□

■ たぶん、🖊_____　□

🖊_____　□

■ たぶん、🖊_____　□

🖊_____　□

■ たぶん、🖉 ⬜

🖉 ⬜

■ たぶん、🖉 ⬜

🖉 ⬜

■ たぶん、🖉 ⬜

🖉 ⬜

■ たぶん、🖉 ⬜

🖉 ⬜

■ たぶん、🖉 ⬜

🖉 ⬜

■ たぶん、🖉 ⬜

🖉 ⬜

■ たぶん、🖉 ⬜

🖉 ⬜

■ たぶん、🖉 ⬜

🖉 ⬜

■ たぶん、🖉 ⬜

🖉 ⬜

■ たぶん、🖉 ⬜

🖉 ⬜

第1章

第2章

第3章

第4章

第5章

第6章

第7章

予想外の展開

　前の頁に書いたことを逆にして、ジャンルやキャラクターやプロットの定石からは予測できない展開を考えます。よいアイデアにはチェック欄に印を入れて下さい。

（「予想外の展開」『アウトラインから書く小説再入門』 54-56頁）

例

■ 意外にも、**ヒーローが超人的な力を失う。** ☑

（サム・ライミ監督 『スパイダーマン2』）

■ 意外にも、**激しく競い合うふたりが恋に落ちる。** ☑

（エリン・モーゲンスターン作 『夜のサーカス』）

■ 意外にも、**少女が父殺しの犯人を捜して旅に出る。** ☑

（チャールズ・ポーティス作 『勇気ある追跡』）

エクササイズ

■ 意外にも、🖉＿＿＿＿＿＿＿＿＿＿＿＿＿＿＿＿＿＿＿ ☐

■ 意外にも、🖉＿＿＿＿＿＿＿＿＿＿＿＿＿＿＿＿＿＿＿ ☐

■ 意外にも、🖉＿＿＿＿＿＿＿＿＿＿＿＿＿＿＿＿＿＿＿ ☐

■ 意外にも、🖉＿＿＿＿＿＿＿＿＿＿＿＿＿＿＿＿＿＿＿ ☐

■ 意外にも、🖉＿＿＿＿＿＿＿＿＿＿＿＿＿＿＿＿＿＿＿ ☐

■ 意外にも、🖉＿＿＿＿＿＿＿＿＿＿＿＿＿＿＿＿＿＿＿ ☐

■ 意外にも、🖉＿＿＿＿＿＿＿＿＿＿＿＿＿＿＿＿＿＿＿ ☐

■ 意外にも、🖉＿＿＿＿＿＿＿＿＿＿＿＿＿＿＿＿＿＿＿ ☐

■ 意外にも、🖉＿＿＿＿＿＿＿＿＿＿＿＿＿＿＿＿＿＿＿ ☐

■ 意外にも、✎ _____ □

■ 意外にも、✎ _____ □

■ 意外にも、✎ _____ □

■ 意外にも、✎ _____ □

■ 意外にも、✎ _____ □

■ 意外にも、✎ _____ □

■ 意外にも、✎ _____ □

■ 意外にも、✎ _____ □

■ 意外にも、✎ _____ □

■ 意外にも、✎ _____ □

■ 意外にも、✎ _____ □

■ 意外にも、✎ _____ □

■ 意外にも、✎ _____ □

■ 意外にも、✎ _____ □

■ 意外にも、✎ _____ □

■ 意外にも、✎ _____ □

■ 意外にも、✎ _____ □

■ 意外にも、✎ _____ □

■ 意外にも、✎ _____ □

■ 意外にも、✎ _____ □

第1章

第2章

第3章

第4章

第5章

第6章

第7章

2文以内のプレミス

「もしも」の質問で得たものを活用して物語の要点を表すプレミスを書きましょう。有望なアイデアが見つかり、葛藤と対立、キャラクター、プロットなどが固めやすくなります。ひとつの文（書ききれない場合はふたつの文）を書けば、あなたのストーリーで際立つ要素がわかるはずです。

　　まず、次の質問に答えて下さい。現時点でわからない場合は飛ばして先に進み、後で思いついたらこの頁に戻って埋めて下さい。順序は崩してかまいません。

（「今、プレミスを書いておきたい六つの理由」『アウトラインから書く小説再入門』 57-59頁）

例

■ 孤児ヒースクリフ（主人公）は養子となり（シチュエーション）、やがて義理の妹キャシーの愛を求める（目的）が、キャシー（敵対者）が近くに住む裕福な男を夫に選んだこと（災難）により、復讐のために冷酷な仕打ちに乗り出して周囲の人々に対抗する（葛藤と対立）。

（エミリー・ブロンテ作『嵐が丘』）

■ 農場での退屈な暮らしに飽き足りなくなった（シチュエーション）少年ルーク・スカイウォーカー（主人公）の夢は、家を出て宇宙戦闘機パイロットになり、会ったことのない父に恥じない自分になること（目的）。だが、反乱軍のドロイドを買い取った後でおじとおばが殺され（災難）、ルークはドロイドの所有者である美しい姫を解放すべく、邪悪な帝国軍（敵対者）と破壊的なデス・スターを阻止する（葛藤と対立）方法を探す。

（ジョージ・ルーカス監督『スター・ウォーズ エピソード4／新たなる希望』）

エクササイズ

■ **主人公**は誰?

　🖉 ＿＿＿＿＿＿＿＿＿＿＿＿＿＿＿＿＿＿＿＿＿＿＿＿＿＿＿

■ 主人公は平凡か、非凡か?

　🖉 ＿＿＿＿＿＿＿＿＿＿＿＿＿＿＿＿＿＿＿＿＿＿＿＿＿＿＿

■ 冒頭で主人公はどんな**シチュエーション**にいるか?

　🖉 ＿＿＿＿＿＿＿＿＿＿＿＿＿＿＿＿＿＿＿＿＿＿＿＿＿＿＿

■ 冒頭での主人公の状態は?

　🖉 ＿＿＿＿＿＿＿＿＿＿＿＿＿＿＿＿＿＿＿＿＿＿＿＿＿＿＿

■ 主人公または敵対勢力によって、それはどう変わっていくか?

　🖉 ＿＿＿＿＿＿＿＿＿＿＿＿＿＿＿＿＿＿＿＿＿＿＿＿＿＿＿

■ 主人公が置かれたシチュエーションは平凡か、奇抜か?

　🖉 ＿＿＿＿＿＿＿＿＿＿＿＿＿＿＿＿＿＿＿＿＿＿＿＿＿＿＿

■ 主人公の**目的**は?

　🖉 ＿＿＿＿＿＿＿＿＿＿＿＿＿＿＿＿＿＿＿＿＿＿＿＿＿＿＿

■ メインの**敵対者**は誰?　人物でなければ何と敵対する?

　🖉 ＿＿＿＿＿＿＿＿＿＿＿＿＿＿＿＿＿＿＿＿＿＿＿＿＿＿＿

■「普通の世界」にいる主人公が葛藤や対立を体験し始めるのは、どんな災難が起きるからか?

　🖉 ＿＿＿＿＿＿＿＿＿＿＿＿＿＿＿＿＿＿＿＿＿＿＿＿＿＿＿

■ その災難に対する主人公のリアクションは、どんな**葛藤と対立**を生むか?

　🖉 ＿＿＿＿＿＿＿＿＿＿＿＿＿＿＿＿＿＿＿＿＿＿＿＿＿＿＿

■ その葛藤と対立はすんなり解決せず、ストーリー全体を通して続く。その理由は?

　🖉 ＿＿＿＿＿＿＿＿＿＿＿＿＿＿＿＿＿＿＿＿＿＿＿＿＿＿＿

■ このアイデアに**説得力**はあるか?

　🖉 ＿＿＿＿＿＿＿＿＿＿＿＿＿＿＿＿＿＿＿＿＿＿＿＿＿＿＿

■ このアイデアに独自性はあるか?

🖉 _____

■ 他の類似したストーリーとの違いは?

🖉 _____

■ どうすれば独自性を高められるか?

🖉 _____

■ ストーリーの焦点は?

🖉 _____

■ ジャンルは?

🖉 _____

■ 読者層は?

🖉 _____

■ 質問への答えを見ながら、プレミスとしてひとつの文にまとめて下さい。

あなたのストーリーのプレミス（ひとつかふたつの文で表して下さい）。

🖉 _____

_____

_____

_____

_____

_____

_____

_____

_____

よいプレミスを書くには？

葛藤と対立

災難によって主人公が出会う、
物語を貫く大きな価値観の
相違や衝突。

主人公

好感か共感
または
興味が持てる主役。

シチュエーション

主人公が
「普通の世界」で
抱える問題や不満。

災難

第1幕で描かれる
「普通の世界」から
主人公が出ざるを
得なくなる出来事。

敵対者

目的に向かう主人公を
邪魔する人物（または物）。

目的

物語の中での
主人公のゴール
（人生や特定の場面の中
でのゴールとは別）。

孤児ヒースクリフ（**主人公**）は養子となり（**シチュエーション**）、やがて義理の妹キャ
シーの愛を求める（**目的**）が、キャシー（**敵対者**）が近くに住む裕福な男を夫に
選んだこと（**災難**）により、復讐のために冷酷な仕打ちに乗り出して周囲の人々
に対抗する（**葛藤と対立**）。

（エミリー・ブロンテ作『嵐が丘』）
https://www.helpingwritersbecomeauthors.com

第1章

第2章

第3章

第4章

第5章

第6章

第7章

ログライン

　プレミスは映画業界では「ログライン」と呼ばれます。ストーリーの本質を短文に凝縮して書き、監督やプロデューサーにアピールするのです。ログラインを書いてみれば、焦点を絞った構想がしやすくなり、核となる長所（あるいは短所）もはっきりします。次のテンプレートを埋めてから、「この1文を読んで、ストーリーに興味が持てるか?」と考えてみて下さい。もっと面白くするには、どうすればいいでしょうか?

　主人公の候補が複数いる場合は、それぞれの人物についてログラインを書きましょう。その中で、プロットを最も強く引っ張ってくれそうな人物が、おそらく主人公にふさわしいでしょう。

（ログラインについてはジョーダン・スミス著『Finding the Core of Your Story: How to strengthen
and sell your story in one essential sentence（未）』）

例

■ 理想主義的（描写）な弁護士（主人公）は、たとえそれが狂気じみた（描写）ガンマン（敵対者）との決闘（クライマックス）を意味するとしても、荒れた西部に法と秩序をもたらす（行動）。

（ジョン・フォード監督『リバティ・バランスを射った男』）

■ 重傷を負って意識を失い、海上で発見された（出来事）後、記憶喪失（描写）の暗殺者（主人公）は失われた過去をたどり（行動）、秘密工作（描写）を操る人々（敵対者）から自由になる（クライマックス）ために罠をしかける（セットアップ）。

（ダグ・リーマン監督『ボーン・アイデンティティー』）

第1章

エクササイズ
ロングラインのテンプレート1

＿＿＿＿＿＿＿＿＿＿な ＿＿＿＿＿＿＿＿＿＿は ＿＿＿＿＿＿＿＿＿＿をし、
　　　描写　　　　　　　　　主人公　　　　　　　　　行動

それは ＿＿＿＿＿＿＿＿＿＿な ＿＿＿＿＿＿＿＿＿＿とのクライマックスを導く
　　　　　描写　　　　　　　　　敵対者

＿＿＿＿＿＿＿＿＿＿となる。
　　セットアップ

エクササイズ
ロングラインのテンプレート2

＿＿＿＿＿＿＿＿＿＿が起きて ＿＿＿＿＿＿＿＿＿＿した後、
　　出来事　　　　　　　　　　　セットアップ

＿＿＿＿＿＿＿＿＿＿な ＿＿＿＿＿＿＿＿＿＿は ＿＿＿＿＿＿＿＿＿＿
　　描写　　　　　　　　　主人公　　　　　　　　行動

をし、＿＿＿＿＿＿＿＿＿＿な ＿＿＿＿＿＿＿＿＿＿に対する
　　　　　描写　　　　　　　　　敵対者

＿＿＿＿＿＿＿＿＿＿はクライマックスへとなだれ込む。
　　セットアップ

第1章

第2章

第3章

第4章

第5章

第6章

第7章

ストーリーの要約

　ここまでで得た情報を使い、プレミスまたはログラインを本格的な要約にふくらませましょう。ストーリーがまだ決まっていなければ、要約を書きながら適当に作ってかまいません。完成した小説の本の裏表紙に載せる紹介文を想像して書いてみて下さい。まず、読者の関心を引き付けるフックで始め、主人公を紹介し、主人公が何を求めているかや、やがて出会う葛藤と対立を説明していきます。最終決戦で危機にさらされるものも示唆しましょう。例文と同じ程度の長さにとどめて下さい。

例

■ 自らの職場できょうだいを亡くした看護師クレア・エイブリーは、救急治療の仕事に向き合い続けることができず、別の病院で看護指導員となって過去を忘れようとする。だが、デイケアセンターで起きた悲惨な爆発事故で、心に傷を負った医療スタッフのカウンセリングを任され、クレアの記憶も甦る。しかも、再び救急治療室に異動を命じられ、カウンセリングに偏見をもつ医師ローガン・カルドウェルと意見が衝突。スタッフにも自分と同じタフさを求めるカルドウェルだったが、徐々に指導員のクレアに惹かれていき……彼女らは真実の癒しとは何かを見出そうとする。

（キャンディス・カルバート作『Critical Care（未）』）

■ 騎士の従者として訓練を受けるチャンスを得た料理番のエイカン・チャムは、つらい生活を抜け出し、近衛騎士になろうと望む。だが、それを知ったエイカンの主人は、エイカンに剣の腕前を見せろと迫る。その相手は皇太子――名誉どころか死刑宣告に等しい。狂気に陥るかと思うほど響く、エイカンの頭の中の不思議な声。式典に向かう皇太子に同行中、護衛隊は襲撃を受ける。負傷したエイカンは敵に捕らえられるが、牢屋から脱走――そして、自分について、とんでもない秘密が隠されていたことを知る。

（ジル・ウィリアムソン作『Darkness Hid（未）』）

エクササイズ
あなたのストーリーの要約

23

第1章

第2章

第3章

第4章

第5章

第6章

第7章

「アウトライン前」のクエスチョン

　アウトラインを掘り下げる前に、プレミスをじっくりと眺めましょう。作品のよさがしっかりと反映できているでしょうか？　ここで潜在的な弱点を見抜き、補強してからプロットを立てれば、以後の作業がとても効率的になります。次の質問に答えながら、あなたのプレミスを分析してみましょう。

　ブレインストーミングをしてから回答が書ければ理想的ですが、まだ考えが定まっていない場合は空白のままにして、後日、埋めて下さい。

（「プレミスを徹底的に生かす『アウトライン前』クエスチョン」『アウトラインから書く小説再入門』　59-62頁）

　では、質問です。プロットの中で大きく目立つ瞬間を5つ挙げ、事態を複雑にするような出来事を4つ考えてみて下さい。

エクササイズ

大きく目立つ瞬間 1

🖊

■ ここで起きること1

　🖊

　　■ 主人公にとっては何が不都合?

　　　🖊

　　■ どんな舞台設定が必要?

　　　🖊

■ ここで起きること2

　🖊

　　■ 主人公にとっては何が不都合?

　　　🖊

　　■ どんな舞台設定が必要?

　　　🖊

■ ここで起きること3

　🖊

　　■ 主人公にとっては何が不都合?

　　　🖊

　　■ どんな舞台設定が必要?

　　　🖊

■ ここで起きること4

　🖊

　　■ 主人公にとっては何が不都合?

　　　🖊

　　■ どんな舞台設定が必要?

　　　🖊

第1章

第2章

第3章

第4章

第5章

第6章

第7章

エクササイズ
大きく目立つ瞬間 2

■ ここで起きること1

　　■ 主人公にとっては何が不都合?

　　■ どんな舞台設定が必要?

■ ここで起きること2

　　■ 主人公にとっては何が不都合?

　　■ どんな舞台設定が必要?

■ ここで起きること3

　　■ 主人公にとっては何が不都合?

　　■ どんな舞台設定が必要?

■ ここで起きること4

　　■ 主人公にとっては何が不都合?

　　■ どんな舞台設定が必要?

エクササイズ
大きく目立つ瞬間 3

_____

■ ここで起きること1

_____

　　■ 主人公にとっては何が不都合?

　　　_____

　　■ どんな舞台設定が必要?

　　　_____

■ ここで起きること2

_____

　　■ 主人公にとっては何が不都合?

　　　_____

　　■ どんな舞台設定が必要?

　　　_____

■ ここで起きること3

_____

　　■ 主人公にとっては何が不都合?

　　　_____

　　■ どんな舞台設定が必要?

　　　_____

■ ここで起きること4

_____

　　■ 主人公にとっては何が不都合?

　　　_____

　　■ どんな舞台設定が必要?

　　　_____

エクササイズ

大きく目立つ瞬間 4

■ ここで起きること1

　　■ 主人公にとっては何が不都合?

　　■ どんな舞台設定が必要?

■ ここで起きること2

　　■ 主人公にとっては何が不都合?

　　■ どんな舞台設定が必要?

■ ここで起きること3

　　■ 主人公にとっては何が不都合?

　　■ どんな舞台設定が必要?

■ ここで起きること4

　　■ 主人公にとっては何が不都合?

　　■ どんな舞台設定が必要?

エクササイズ
大きく目立つ瞬間 5

🖉 _____

■ ここで起きること1

🖉 _____

   ■ 主人公にとっては何が不都合?

   🖉 _____

   ■ どんな舞台設定が必要?

   🖉 _____

■ ここで起きること2

🖉 _____

   ■ 主人公にとっては何が不都合?

   🖉 _____

   ■ どんな舞台設定が必要?

   🖉 _____

■ ここで起きること3

🖉 _____

   ■ 主人公にとっては何が不都合?

   🖉 _____

   ■ どんな舞台設定が必要?

   🖉 _____

■ ここで起きること4

🖉 _____

   ■ 主人公にとっては何が不都合?

   🖉 _____

   ■ どんな舞台設定が必要?

   🖉 _____

第1章

第2章

第3章

第4章

第5章

第6章

第7章

エクササイズ

**大きな葛藤と対立をもたらす出来事(インサイティング・イベント)に
最も影響を受けるキャラクターは誰?**

✎ _____

■ ここで起きることは?

✎ _____

■ そのキャラクターは主人公か?

✎ _____

■ そのキャラクターが抱える悩みや問題点、不安なことをふたつ挙げると?

　　■ 問題点1　✎ _____

　　■ この問題点は他のキャラクターたちにどんな影響を及ぼすか?

　　　　✎ _____

　　■ 問題点2　✎ _____

　　■ この問題点は他のキャラクターたちにどんな影響を及ぼすか?

　　　　✎ _____

　　■ 1と2では、どちらがより大きな葛藤と対立、ドラマをもたらすか?

　　　　✎ _____

メインの敵対者は誰?

✎ _____

■ その敵対者は自らの意識を持つ存在か?

✎ _____

■ もしそうなら、その敵対者の動機は?

✎ _____

■ その敵対者の目的は?

✎ _____

■ その敵対者の価値観は?

✎ _____

メイン以外の敵対者を「ミニ敵対者」としてふたり挙げると

■ ミニ敵対者1　✎ _____

　　■ この人物の動機は?　　✎ _____

　　■ この人物の価値観は?　✎ _____

■ ミニ敵対者2　✎ _____

　　■ この人物の動機は?　　✎ _____

　　■ この人物の価値観は?　✎ _____

■ 下記の敵対者たちはそれぞれ、主人公の弱点をどう突くか?

　　■ メインの敵対者　✎ _____

　　■ ミニ敵対者1　✎ _____

　　■ ミニ敵対者2　✎ _____

■ 主人公が望みを叶えようとする道をどうブロックするか?

　　■ メインの敵対者　✎ _____

　　■ ミニ敵対者1　✎ _____

　　■ ミニ敵対者2　✎ _____

■ ミニ敵対者たちはメインの敵対者とどう対立するか?

　　■ メインの敵対者　✎ _____

　　■ ミニ敵対者1　✎ _____

　　■ ミニ敵対者2　✎ _____

■ ミニ敵対者たちは互いにどう対立するか?

　　✎ _____

第1章

第2章

第3章

第4章

第5章

第6章

第7章

考えてみよう

次の3つのプレミスが面白さや独自性を得るように、意外なひねりを3つ考えて下さい。

● 宇宙船の船長が率いる軍用艦隊が乗っ取られる。

● 少年とその友人が無法者たちに誘拐される。

● 敵の王国をスパイするために、王女がお見合い結婚を承諾する。

振り返ってみよう

1. アウトラインを作ろうと思った理由は?

2. どんなブレインストーミングの仕方が好きですか?

3. 独自性を見つけるために最も大切だと思うことは何ですか?

4. 平凡なキャラクターを変わった舞台設定に登場させることと、平凡な舞台設定に変わったキャラクターを登場させること。それぞれ、ストーリーにどんな利点がありますか?

5. プレミスを書く前に、ストーリーに必要な要素はだいたいわかっていましたか? それとも、文を書きながら見つけていきましたか?

6. ストーリーをひとつかふたつの文で書き表すのは、アウトラインの出発点としてやりやすかったですか? それとも難しかったですか?

参考文献やウェブサイト

● "How to Write a Novel: The Snowflake Method," Randy Ingermanson, http://www.helpingwritersbecomeauthors.com/OYNW-Ingermanson

● "Writing a Novel Scene by Scene," Debbie Roome, http://www.helpingwritersbecomeauthors.com/OYNW-Roome [Not Found]

● 『ストーリーの解剖学──ハリウッドNo.1スクリプトドクターの脚本講座』（ジョン・トゥルービー著、吉田俊太郎訳、フィルムアート社、2017年）第2章

● *Writing the Breakout Novel,* Donald Maass, Chapter 2

● *Techniques of the Selling Writer,* Dwight V. Swain, Chapter 5

第1章

第2章

第3章

第4章

第5章

第6章

第7章

第2章

ゼネラル・スケッチ

　初稿の執筆にかかる時間と修正の難しさに比べれば、アウトライン上では短時間で簡単に操作ができます。原稿を書いている間にアイデアの行き詰まりに気づいた場合は、何頁も削除するはめになるでしょう。アウトライン上で面白そうなアイデアをすべて試して取捨選択をしておけば、しっかりした初稿が書けるようになります。

　アウトラインの本体は「ゼネラル・スケッチ」で姿を現しますが、ディテールはまだ加えません。今、あなたはストーリーが入った箱の包みを開けようとしているところ。箱の中にはきれいなパーツが入っています。種類も形もさまざまなそれらのパーツを、どう合わせるか考えようとしています。

　今はアウトラインで最も大事な段階です。なぜなら、どんなに奇抜なアイデアも、かまわず全部出してよい時だからです。今わかっていることを書き出してあらすじのような形に整え、プロットの欠陥をあぶり出しましょう。「なぜ、このキャラクターはこんな風にふるまうのだろう?」「なぜ、彼女は過去を悔やんでいるのか?」「もしも、彼がプロットの重要な局面で、大きく異なる決断をするなら?」というように、「なぜ」と「もしも」を駆使して考える時間を設けて下さい。

第1章

第2章

第3章

第4章

第5章

第6章

第7章

シーン・リスト

「アウトラインを作ろう」と思い立つ頃、あなたはたぶん、シーンのいくつかを思い描いているはずです。まず、それらの場面をリストに並べてみましょう。

　本編の始まりよりも前の出来事もあるかもしれませんが、第1章をどこから始めるかは脇に置いておきます。今は、思い浮かんだことを全部、紙に書くだけでかまいません。

　ここで大切なことは、新しいシーンを作ったり、プロットの中で未定の部分を埋めたりすることではありません。現段階では想像力を羽ばたかせ、ストーリーに関して思いつくことをすべて書き出すことに集中して下さい。中にはまったく使えないアイデアもあるでしょう。でも、自然発生的に生まれたものだとしても、ある程度は温められてきた案ですから、書き出す価値があります。

　辻褄が合わない部分や、もう少し考えたい部分があれば、短いメモを書いておき、次に進みましょう。埋まっていない穴の部分は未知への冒険につながる秘密のトンネルです。リストを書き終えたら、次の「色分けのヒント」に従い、見やすくなるようマーカーで色を付けて下さい。

（「シーン・リスト：とりあえず、今すぐに思い浮かぶシーンを挙げてみよう」『アウトラインから書く小説再入門』 72-76頁）

色分けのガイド

ブルー = 細部まで完成しているアイデア。肉づけは不要。

グリーン = ブレインストーミングが必要な、不完全なアイデア。

イエロー = ブレインストーミングがしたくなる、いいアイデア。

ピンク = シーンの流れの中で、位置の検討が必要なアイデア。

オレンジ = プロットには直接的に関与しないが、いいアイデア（例：舞台設定のディテール）。

例

　マーカス・アナンは失意の傭兵。第三期十字軍で負傷、サラセン軍の捕虜になる。戦地で瀕死の夫に付き添うスコットランド人女性の手当てを受ける。彼女もまた、捕らえられていた。

　回復したアナンは脱走のチャンスを得る。看護してくれたマイレッド夫人の脱走も手伝うことに。ある重要な理由のためにふたりは結婚。フランスかイングランドに着いたら結婚を解消する計画だ。

　ふたりは逃げ、アナンの使用人ペレグリン・マレックに会う。ふたりの結婚の話はマレックには秘密。

　何らかの事情で、アナンには敵がいる。名前は思い出せないので、仮に「敵さん」と呼ぶ。敵さんとは何かをめぐって対立している。

（K.M.ワイランド作『Behold the Dawn（未）』）

1.クリスの夢に女性が現れ、自分の世界から出るなと警告してクリスを撃つ。

2.クリスは「あの精神科医と関わるな」と書かれた奇妙な手紙を受け取る。

3.クリスは眠っている間に自分がパラレルワールドにいることを知る。

4.クリスは戦争中のラエルという土地で目が覚める。

（K.M.ワイランド作『Dreamlander（未）』）

第1章

第2章

第3章

第4章

第5章

第6章

第7章

エクササイズ

■ あなたがすでに思い描いているシーンは?

第1章

第2章

第3章

第4章

第5章

第6章

第7章

他にもアイデアがある場合は、続きをノートかパソコンに書いて下さい。

点つなぎ

シーン・リストに色付けができたら、検討が必要なグリーンの項目に注目して下さい。次の欄にリストアップし（シーン・リストでどう書いていいかわからなかったアイデアも、ここでは質問として書いてみて下さい）、解決策をブレインストーミングしてみましょう。

（「点つなぎ：マークした曖昧な部分のアイデア出しをしよう」『アウトラインから書く小説再入門』 76-84頁）

例

■ 質問

アナンの敵は誰？　理由は？

■ 答え

たぶんアナンの敵は司祭か何か。アナンは嫌気がさして去ったかもしれないが、それは彼らしくない。司祭の偽善を見抜いたのかも。いや、それよりも、心が傷ついたのだろう――友人が司祭のせいで命を奪われた、など。

エクササイズ

■ 質問

■ 答え

第1章

第2章

第3章

第4章

第5章

第6章

第7章

エクササイズ

■ 質問

■ 答え

エクササイズ

■ 質問

■ 答え

エクササイズ

■ 質問

🖊

■ 答え

🖊

エクササイズ

■ 質問

🖊

■ 答え

🖊

第1章

第2章

第3章

第4章

第5章

第6章

第7章

エクササイズ

■ 質問

🖉 _____

_____

■ 答え

🖉 _____

_____

_____

_____

_____

_____

エクササイズ

■ 質問

🖉 _____

_____

■ 答え

🖉 _____

_____

_____

_____

_____

_____

まだ答えられない部分があれば、別の質問に対する答えをノートやパソコンに書いていきましょう。書き終えたら答え
を見直し、新しく浮かんだ質問をまた緑色のマーカーで色付けして、答えを書きます。プロットの穴が埋まり、出来事が
論理的に組み立てられるまで、このQ&Aを繰り返して下さい。

キャラクターアークとテーマ

第1章

第2章

第3章

第4章

第5章

第6章

　アウトラインが形になり始めたら、人物の変化の軌跡となる「キャラクターアーク」の要素に注目して下さい。その要素とは「動機／欲望／ゴール／葛藤と対立／テーマ」です。

　早いうちから、これらをプロットに適切なかたちで配置できれば、その後の長い作業がしやすくなります。書き出したアイデアを見直しながら、たまに、全体を俯瞰する時間を設けて下さい。というのも、プロットを考えている間は、キャラクターアークの要素を忘れてしまうことが多いのです。アウトラインに何カ月も費やして、やっと初稿を書き始めてから見落としに気づくことがないように、まずは次の質問に答えて下さい。

（「全体の下書き（ゼネラル・スケッチ）2：基本要素を見つける」『アウトラインから書く小説再入門』　90-114頁）

エクササイズ
■ キャラクターがしたいことや、欲しいものは何?

🖉 ＿＿＿＿＿＿＿＿＿＿＿＿＿＿＿＿＿＿＿＿＿＿＿＿＿＿＿＿＿＿＿＿＿＿＿＿＿＿

＿＿

これはストーリーの中でキャラクターが追い求める対象です。キャラクターが外に向けて表す欲求に注目し、心から満足するためにその登場人物が必要だと思っていることを書いて下さい。

例

■ ジェーン・エアはソウルメイトであるロチェスター卿と結婚したい。

（シャーロット・ブロンテ作『ジェーン・エア』）

■ リック・ブレインはかつての恋人イルザとよりを戻したい。

（マイケル・カーティス監督『カサブランカ』）

第1章

第2章

第3章

第4章

第5章

第6章

第7章

エクササイズ

■ キャラクターがそうしたいのはなぜ？（動機は？）

🖉 _____

■ そうするために、何をしようとする？（目的達成のための行動は？）

🖉 _____

■ 葛藤と対立をキャラクターにもたらすような困難は？

🖉 _____

■ キャラクターにとって必要なものは？

🖉 _____

「必要なもの」はキャラクターの内面に潜んでいます。これが意識できていないために、持てる能力を存分に発揮できず弱点が生まれます。「必要なもの」は、前の質問での「欲しいもの」とは正反対かもしれません。最終的にどちらかを捨てる選択をする場合もあれば、望みが叶えられていないのは「必要なもの」を自分が拒んでいるからだと気づいて、「欲しいもの」の獲得に成功する場合もあります。

例

■ ジェーンは自らの倫理観に従うことが必要。ロチェスター卿に精神を病む妻がいると知ってからは、彼と暮らすことができなくなる（また、彼女はロチェスター卿と真に対等になるべく、強くなることも必要）。

（シャーロット・ブロンテ作『ジェーン・エア』）

■ リックにはナチスと闘い、政治活動家であるイルザの夫を助けることが必要。そのために、リックはイルザと向き合わざるを得ない。

（マイケル・カーティス監督『カサブランカ』）

エクササイズ

■ 「欲しいもの」と「本当は必要としているもの」とはどう食い違っているか?

🖉

■ キャラクターが信じ込んでいる「嘘」は何? この嘘のために、キャラクターは「本当は必要としているもの」から目を背け、「欲しいもの」を追い求める。

🖉

■ キャラクターが気づかねばならない「真実」は何?

🖉

■ 「嘘」を信じるようになったのは、キャラクターにどんな弱点や欠点があるからか?

🖉

　■ その弱点によって、キャラクターの周囲の人々はどう傷ついている?

　🖉

■ ストーリーの始め、キャラクターはどんな人?

🖉

　■ そのキャラクターが気にかけていることは何?

　🖉

　■ そのキャラクターは何を信じている?

　🖉

　■ ストーリーの序盤で、キャラクターの不完全さをどう見せる?

　🖉

■ ストーリーの真ん中あたりまで来ると、キャラクターはどんなふうに変化している?

🖉

　■ 変わったことが見てとれるシーンは?

　🖉

　■ キャラクターがまだ不完全であることが見てとれるシーンは?

　🖉

第1章

第2章

第3章

第4章

第5章

第6章

第7章

■ ストーリーの終わりで、キャラクターはどんな人になっている？

🖉 _____

  ■ クライマックスでキャラクターが「はっと気づく」のは、どんな瞬間？

🖉 _____

  ■ キャラクターの内面の変化を読者に伝えるには、どうすればいい？

🖉 _____

  ■ キャラクターが成長するには何が必要？（例：師の助言、切羽詰まった状況、
    新たな意識や心構えなど）

🖉 _____

■ さまざまなシチュエーションでのキャラクターの態度やふるまい方は？
  ■ 両親に対する態度やふるまい方は？

🖉 _____

  ■ 恋心を抱く相手に対する態度やふるまい方は？

🖉 _____

  ■ 仕事中は？

🖉 _____

  ■ 強盗に襲われそうになったら？

🖉 _____

  ■ くつろいでいる時は？

🖉 _____

　主な登場人物について、それぞれの「欲しいもの」あるいは「したいこと」と、その動機を書いて下さい。

例

■ アナンは戦場で死にたい。なぜなら、罪の意識があまりにも重荷だから。
■ マイレッドはクレドモアのマティアスを見つけたい。なぜなら、宣教師ゲシンが、
  マティアスなら助けてくれるだろうと言ったから。
■ マレックは期間労働を終えたい。故郷のスコットランドでドリーが待っているから。

エクササイズ

1. _____ は _____ したい。

   なぜなら、 _____。

2. _____ は _____ したい。

   なぜなら、 _____。

3. _____ は _____ したい。

   なぜなら、 _____。

4. _____ は _____ したい。

   なぜなら、 _____。

5. _____ は _____ したい。

   なぜなら、 _____。

6. _____ は _____ したい。

   なぜなら、 _____。

7. _____ は _____ したい。

   なぜなら、 _____。

8. _____ は _____ したい。

   なぜなら、 _____。

9. _____ は _____ したい。

   なぜなら、 _____。

10. _____ は _____ したい。

    なぜなら、 _____。

第1章

第2章

第3章

第4章

第5章

第6章

第7章

中心的なテーマに対する脇役たちの考え方は、主人公が自分の中の「嘘」を信じ込んでいることをどのように映し出すでしょうか？　それは主人公の「嘘」と対照的なものでしょうか？

エクササイズ

1. 敵対者が信じていることは?

🖊 _____

2. 主人公の相棒や親友が信じていることは?

🖊 _____

3. 主人公が思いを寄せる相手が信じていることは?

🖊 _____

4. 主人公の師やメンターが信じていることは?

🖊 _____

葛藤と対立

　キャラクターの動機と欲望、ゴールを定めたら、目指すゴールとの間に障害を設けましょう。葛藤と対立はフィクションの燃料。そして、葛藤と対立は、満たされない欲求へのいらだちによって高まります。キャラクター（と、読者）が勝利を近くに感じ、満足感を覚え始めるたびに、それを遠ざける方法を見つけて下さい。どんなジャンルでも、読者をはらはらさせる鍵はキャラクターのフラストレーションにあります。読者の期待に応えるには、キャラクターの期待に反する展開にすること。手始めに、キャラクターにとって最悪の出来事を10個、挙げてみて下さい。

（「葛藤／対立：これがなければ人物とプロットは存在しない」『アウトラインから書く小説再入門』 98-102頁）

例

■ 見知らぬガソリンスタンドで持ち主とはぐれてしまう。

（ジョン・ラセター監督『トイ・ストーリー』）

■ 理由もなくソウルメイトに捨てられてしまう。

（ジェーン・オースティン作『知性と感性』）

■ 脱走用のトンネルを掘ったが森へと安全に出るには20ヤード足りないと判明する。

（ジョン・スタージェス監督『大脱走』）

エクササイズ

1. 🖉

2. 🖉

3. 🖉

4. 🖉

第1章

第2章

第3章

第4章

第5章

第6章

第7章

5. 🖉 _____

_____

6. 🖉 _____

_____

7. 🖉 _____

_____

8. 🖉 _____

_____

9. 🖉 _____

_____

10. 🖉 _____

_____

　主人公や敵対者が葛藤と対立を避けられない理由は何でしょうか?　互いをずっと対立させ合うための「接着剤」の例を下記に挙げます。あなたのストーリーにふさわしいものにチェックを入れ、具体的にどう展開するのかを説明して下さい。

例

■ **サバイバル**：サンガー・レインズフォードの敵対者はロシアの支配階級で、常軌を逸した人物。彼を見つけて殺さなければ、自分が命を奪われてしまう。
(リチャード・コネル作『The Most Dangerous Game（未）』)

■ **愛**：ダーシー氏はエリザベスに結婚の申し込みを拒絶されるが、彼女を忘れることができない。　　　　　　　　　　　　　　(ジェーン・オースティン作『高慢と偏見』)

■ **快感／執着**：ジョーカーは執着に似た快感のために、バットマンと追いつ追われつの攻防を繰り広げる。　　　　　　(クリストファー・ノーラン監督『ダークナイト』)

エクササイズ

□義務／責任

具体的には ✐ _____

_____

□憎しみ／復讐

具体的には ✐ _____

_____

□サバイバル

具体的には ✐ _____

_____

□愛

具体的には ✐ _____

_____

□快感／執着

具体的には ✐ _____

_____

□欲

具体的には ✐ _____

_____

□プライド

具体的には ✐ _____

_____

□その他

具体的には ✐ _____

_____

第1章

第2章

第3章

第4章

第5章

第6章

第7章

望みを叶えようとする主人公を、下記の脇役たちにどう妨害させるか（あるいは、妨害しているように見せるか）、少なくともひとつアイデアを考えて下さい。小さなことでもかまいません。

エクササイズ

■ 恋の相手　✐ _____

■ 相棒／親友　✐ _____

■ 師／メンター　✐ _____

望みを叶えようとする主人公が遭遇する、想定外のシチュエーションを5つ考えて下さい。

エクササイズ

1. ✐ _____

2. ✐ _____

3. ✐ _____

4. ✐ _____

5. ✐ _____

　ストーリーが展開するタイムラインはどれぐらいですか？　必要に応じて123頁のカレンダーを参照して下さい。

エクササイズ

✐ _____ 年　✐ _____ カ月　✐ _____ 日　✐ _____ 時間

タイムラインを短縮すると、さらに危機感が高められるでしょうか？
もしそうなら、その理由は？

✐ _____

_____

第1章

第2章

第3章

第4章

第5章

第6章

第7章

考えてみよう

　　あなたの好きな映画か、好きな小説を1作品、思い出してみて下さい。作品のテーマはわかりますか？　そのテーマは、行間などの間接的な表現からも感じられますか？テーマがはっきりと打ち出されているところはありますか？

振り返ってみよう

1.　すでに、はっきりと思い描いていたシーンはありましたか？　それらについて、質問の答えを書きながら、アイデアを変更しましたか？

2.　主人公の動機を考えることは、敵対者の動機を考えるより簡単でしたか？　それとも、難しかったですか？

3.　よいアイデアが浮かんだ時に、呼吸が速くなるなど、身体的な変化はありましたか？

4.　自由に書くことは創作の励みになりますか？　それとも、むしろ停滞を感じますか？

5.　あなた自身が軽蔑するようなキャラクターを登場させたことはありますか？　自分の感情は執筆に役立ちましたか？　それとも、足枷になったでしょうか？

参考文献やウェブサイト

- "How Minor Characters Help You Discover Theme," K.M. Weiland, https://www.helpingwritersbecomeauthors.com/2014/01/minor-characters-help- discover-theme

- "How the Antagonist Affects Character Arc," K.M. Weiland, https://www.helpingwritersbecomeauthors.com/2013/12/antagonist-affects-character-arc

- "Tips for Creating Thematic Resonance," K.M. Weiland, https://www.helpingwritersbecomeauthors.com/2011/11/posts-8

- "How to Explore Your Character's Motivations," Joe Bunting, https://www.helpingwritersbecomeauthors.com/OYNW-Bunting

- "Conflict vs. Tension," Writers Helping Writers, https://www.helpingwritersbecomeauthors.com/OYNW-Puglisi

第1章

第2章

第3章

第4章

第5章

第6章

第7章

ストーリーが求める時間の長さは？

頁数の比較

『華麗なるギャツビー』
180頁

『高慢と偏見』
256頁

『蝿の王』
272頁

『ハンガー・ゲーム』
384頁

『エンダーのゲーム』
384頁

『ジェーン・エア』
624頁

小説が展開する時間軸

『華麗なるギャツビー』
5カ月と23日

『高慢と偏見』
1年と10日

『蝿の王』
5カ月と4日

『ハンガー・ゲーム』
27日

『エンダーのゲーム』
5年と7カ月

『ジェーン・エア』
9年5カ月と3週

https://www.helpingwritersbecomeauthors.com

第1章

第2章

第3章

第4章

第5章

第6章

第7章

第3章

キャラクター・スケッチ：
バックストーリー

プロットやストーリーのおおまかな流れがわかり、プロットの中の大きな空白部分が埋まったら、キャラクター・スケッチに取りかかりましょう。まず、バックストーリーから始めます。

アウトラインがここまで進めば、主要なプロットポイントがだいたいわかっているはずです。主人公が誰で、何を求めていて、それを達成するには何をすべきかの目星がついているでしょう。でも、そのプロットにふさわしい人物像や人物の過去は、まだ漠然としているかもしれません。

誰かに物語を伝える前に、あなたはその前日譚を知っておかねばなりません。深みのある層を重ねてストーリーを紡ぐには、キャラクターについての不明点をけっして見逃さないこと。ストーリーを成立させるための情報だけで満足してしまわないようにしましょう。キャラクターの過去の闇を探り、両親のことや幼なじみのこと、変化をするきっかけになった出来事などを見つけて下さい。主人公が刑事なら、なぜ刑事になったかも探りましょう。ヒロインの心に傷があるなら、なぜそうなったかを考えて下さい。

第1章

第2章

第3章

第4章

第5章

第6章

第7章

インサイティング・イベントとキー・イベント

バックストーリーの始まりは？　もちろん、答えは「最初から」です。キャラクターはどこで生まれたか？　両親は誰？　幼少期に出会った人生観を形成するもととなった出来事は？　これらを直感的に探るよりも、さらに効果的な方法があります。それは、ストーリーが本格的に始まる瞬間を起点に、過去へとさかのぼって考えること。その起点となる瞬間が「インサイティング・イベント」です。

インサイティング・イベントとは、キャラクターを取り巻く世界が後戻りできないほどの変化を迎える瞬間のことです。プロットをドミノ倒しにたとえるなら、最初の一片が倒れる時。そこからどんどん連鎖反応が起き、キャラクターをクライマックスへと導きます。あなたの作品全体の中で、キャラクターの存在を形づくる出来事と言えるでしょう。その瞬間に至る経緯にふさわしいバックストーリーが必要です。このように考えれば、キャラクターの過去について、何を問うべきかがわかりやすくなるでしょう。

また、「キー・イベント」も意識して下さい。キー・イベントとはキャラクターがインサイティング・イベントに関わることになった瞬間です。たとえば、ほとんどの探偵小説では、インサイティング・イベント（犯罪）が主人公から離れたところで発生し、キー・イベントが起きて主人公が事件の解決に乗り出します。先にインサイティング・イベントを起こしておいてから、キー・イベントで主人公を引きずり込むのです。

（「本編をフル始動させる『インサイティング・イベント』の作り方、生かし方」『アウトラインから書く小説再入門』　121-124頁、
「『インサイティング・イベント』と『キー・イベント』」『ストラクチャーから書く小説再入門』　89-94頁）

エクササイズ

■ プロットの前進の起点となる出来事は?（これがインサイティング・イベントです）

    ✎ _____

    ■ インサイティング・イベントがその後のストーリーに及ぼす影響は?

       ✎ _____

    ■ インサイティング・イベントは葛藤と対立をどのように引き起こす?

       ✎ _____

    ■ インサイティング・イベントは読者の関心をどのように引き付ける?

       ✎ _____

■ プロットに登場人物を巻き込んでいく出来事は?（これがキー・イベントです）

    ✎ _____

    ■ キー・イベントがその後のストーリーに及ぼす影響は?

       ✎ _____

    ■ キー・イベントは葛藤と対立をどのように引き起こす?

       ✎ _____

    ■ キー・イベントは読者の関心をどのように引き付ける?

       ✎ _____

    ■ キー・イベントに対する主人公の反応は?

       ✎ _____

■ インサイティング・イベントが起きたのは、登場人物が過去に何をしたからか?

    ✎ _____

■ 登場人物がキー・イベントに至った経緯は?

    ✎ _____

■ インサイティング・イベントやキー・イベントに人物が上記の反応をする要因は?

    ✎ _____

■ インサイティング・イベントをきっかけに、あたかも螺旋状に複雑さを増していきそうな、登場人物が以前から抱えてきた問題やわだかまりは何?

    ✎ _____

第1章

第2章

第3章

第4章

第5章

第6章

第7章

プロット＋キャラクター＝テーマ

プロット

外的な問題が
引き起こす外的な対立

内面の葛藤によって
解決が妨げられる

テーマ

外的な問題が
内面の葛藤の解決から

＝

外的な対立の解決へ

＝

内面の葛藤と
外的な対立の解決

＝

テーマ

キャラクター

内面の問題による
内面の葛藤

解決できない
見当違いのゴール

外的な対立が
解決へ

https://www.helpingwritersbecomeauthors.com

バックストーリーの書き方

　バックストーリーの細部はキャラクターやプロットの理解に役立ちます。その中でも、真に重宝するのはキャラクターにとっての記念すべき出来事や人生を変えた物事、キャラクターの記憶にずっと残っている出来事です。

　深く掘り下げるほど、豊かな鉱脈に出会えます。ただ簡単に「サムはマサチューセッツ州で生まれ、高校時代の彼女と社会人になってから結婚。子どもはふたり。仕事は会計士」といった文で済ませないようにしましょう。そのようなバックストーリーでは人物像に深く切り込めず、プロットを充実させるお宝が得られません。

　実際に作品に書き入れるバックストーリーの分量は少ないですが、深い部分の情報を揃えておけば、しっかりした基礎が築けます。作品に表れる時は、ストーリーをキラリと輝かせることでしょう。

　では、キャラクターについての基本的な情報から始めましょう。

（「人物像の下書き（キャラクター・スケッチ）　1：バックストーリーを作る」『アウトラインから書く小説再入門』　118-130頁）

例

　アナンはこの物語のヒーロー。暗殺を請け負う傭兵で、タフな人物。無口で実直、体力は並みの男の3倍。敵に回すと怖いタイプ。

　現在、国王リチャードの近衛兵。東部へ移動中の国王に戦闘能力を認められ、雇われた。

　だが、アナンはリチャードまたは新王妃ベレンガリアを暗殺するよう秘密裏に依頼を受けている。国王一行の先陣がイングランドを出発する前に、司祭ロデリックからの密使より、国王暗殺という大仕事のオファーがあった。

（K.M.ワイランド作　『Behold the Dawn』）

第1章

第2章

第3章

第4章

第5章

第6章

第7章

エクササイズ

■ あなたのストーリーの主人公についての基本的な情報を、2つか3つの段落で説明
して下さい。

■ 主人公の年齢は?

✎

　■ 生年月日は?

✎

■ 主人公が生まれた場所は?

✎

■ 父親は誰?

✎

　■ 父親のバックストーリーは?

✎

■ 母親は誰?

✎

　■ 母親のバックストーリーは?

✎

■ 主人公を育てた人たちが重要視していたものは何?

✎

■ 主人公の兄弟姉妹は誰?

✎

　■ 兄弟姉妹の年齢は?

✎

　■ 彼らの性格のポジティブな面とネガティブな面を、それぞれ1語で表すと?

✎

■ 主人公が幼少期や若い頃に師として仰いでいた人物は誰?

✎

■ 主人公はどんな生活水準や社会的なステイタスの中で育ったか?

✎

第1章

第2章

第3章

第4章

第5章

第6章

第7章

■ 主人公の人種的な背景は?

✎ _____

■ どんな場所に住んだことがあるか?

✎ _____

■ どんなレベルの教育を受けたか?

✎ _____

　■ 学校で好きだった科目は?

　✎ _____

　■ 習い事をしていたか?

　✎ _____

■ これまでに経験した仕事は?

✎ _____

■ これまでに訪れたことがある土地は?

✎ _____

■ 人格を形成するような、個人的な出来事は?

✎ _____

　■ 「幽霊」のように主人公につきまとう忌まわしい過去が隠れているとしたら、そ
　　れは何? ストーリーが始まる前に、主人公が「嘘」を信じ込むようになった、
　　感情や思考や肉体の傷は?

　✎ _____

　　_____

考えてみよう

バックストーリーをシーンに書き入れることは大切ですが、説明口調にならないようにしたいものです。会話文や行間での示唆で表現してみて下さい。

振り返ってみよう

1. このエクササイズを始める前に、ストーリーのインサイティング・イベントを意識していましたか？

2. インサイティング・イベントからさかのぼってバックストーリーを考える方法は役に立ちましたか？ または、おいたちから始め、その流れでインサイティング・イベントを見つける方が、勘がうまく働いたでしょうか？

3. バックストーリーをストーリー本体にどう組み込みますか？ 謎解きやサスペンス感は出せますか？

4. バックストーリーがふくらんで、ストーリー本体よりも面白くなった経験はありますか？

5. インサイティング・イベントとキー・イベントの違いを知っていましたか？

6. ストーリーの進行と、バックストーリーの説明との間でバランスをとるのが難しいと思うことはありますか？

7. バックストーリーがうまく組み込まれているストーリーとして、何か思い浮かぶ作品はありますか？

参考文献やウェブサイト

- "Improve Your Character Instantly—Just Add a Ghost," K.M. Weiland, https://www.helpingwritersbecomeauthors.com/2013/10/improve-your-character-instantly-just

- "Is Your Novel's Backstory Big Enough?" K.M. Weiland, https://www.helpingwritersbecomeauthors.com/2013/07/is-your-novels-backstory-big-enough

- "When Your Backstory Becomes Your Story," K.M. Weiland, https://www.helpingwritersbecomeauthors.com/2012/02/posts-6

- "How to wield back story with panache," Roz Morris, https://www.helpingwritersbecomeauthors.com/OYNW-Morris

- "How to Use Subtext in Your Writing," Joe Bunting, https://www.helpingwritersbecomeauthors.com/OYNW-Vest

第3章

第 **4** 章

第1章
第2章
第3章
第4章
第5章
第6章
第7章

キャラクター・スケッチ：
人物インタビュー

「人物インタビュー」はキャラクターの声を聞くようにして発想を広げる方法です。ひらめきを得るだけでなく、質問と答えを執筆中に見直して事実確認をすることもできます（「お母さんが亡くなった時に彼は何歳だったか？」「交通事故でケガをしたのは左足か右足か？」など）。

　人物インタビューには時間がかかりますから、語り手として主観的視点を与えるキャラクターと敵対者の他は、ひとりかふたりの人物にとどめるといいでしょう。面白いことがたくさん浮かび、プロットを深めるチャンスが得られます。

第1章
第2章
第3章
第4章
第5章
第6章
第7章

人物インタビュー

　次の質問に答える（例：「人生観は?」「シニカルで厭世的」）だけで発想が自由に広がります。思いつくことをノートに書きながら、アイデアを豊かに広げていきましょう。

（「人物像の下書き（キャラクター・スケッチ）2：人物インタビュー」『アウトラインから書く小説再入門』 138-148頁）

例

キャラクターの最大の長所／短所

　アナンの長所は暗い過去に対する罪悪感に襲われてもくじけない、光のような倫理観をコアに持っていること。アナンには絶対に越えない一線がある。厳しい局面を何度も体験しているが、けっして状況に流されない。

　彼には多くの欠点がある。心身の強靭さと激しい気質は恐るべき武器。躊躇せず人を殺すが、とっさに人を守ることもある。難解な人物。人殺しを請け負うが、殺されたい願望もある。人を憎み、自分の心にある憎しみも憎んでいる。情熱的だが自制心もある。

（K.M.ワイランド作『Behold the Dawn』）

エクササイズ

■ キャラクターの名前は?

🖉 _____

背景

■ 現住所と電話番号は?

🖉 _____

■ 仕事は?

🖉 _____

　　■ 収入は?

　　🖉 _____

■ 旅行についての好みや考えは?

🖉 _____

■ どんな友人たちがいるか?

✎

    ■ 友人たちはこのキャラクターをどう見ているか?

    ✎

    ■ 同居する人は?

    ✎

    ■ けんかの相手は?

    ✎

    ■ 時間を共に過ごす相手は?

    ✎

    ■ 誰と一緒に過ごしたいと願っているか?

    ✎

    ■ 誰に頼られているか?

    ✎

    ■ このキャラクターが最も敬い、憧れているのはどんな人たちか?

    ✎

■ このキャラクターにとっての敵は?

✎

■ 交際、婚姻状況は?

✎

■ 子どもは?

✎

■ 宗教的な考え方は?

✎

第1章

第2章

第3章

第4章

第5章

第6章

第7章

人生観

■ 全般的な人生観は?

✎ _____

■ このキャラクターは自分が好きか?

✎ _____

■ 人生で何かを変えられるとすれば何を変えるか?

✎ _____

■ 自分が特に恐れたり、苦しんだりしていることは?

✎ _____

■ 何かについて自分に嘘をついているか?

✎ _____

■ 楽天的か、悲観的か?

✎ _____

■ ありのままか、真実を偽っているか?

✎ _____

■ 倫理観の度合いは?

✎ _____

■ 自信の度合いは?

✎ _____

■ 普通の1日の過ごし方は?

✎ _____

■ 自分を表す5つの言葉を、このキャラクターが挙げるとしたら?

1. ✎ _____

2. ✎ _____

3. ✎ _____

4. ✎ _____

5. ✎ _____

■ このキャラクターの親友が彼もしくは彼女を表す5つの言葉を挙げるとしたら?

1. _____

2. _____

3. _____

4. _____

5. _____

■ このキャラクターは自分のアイデンティティを示すものとして、何を優先的に挙げるか（母親、恋人、軍人など）?

_____

■ 自己に対する意識の度合いは?

1.□ 2.□ 3.□ 4.□ 5.□ 6.□ 7.□ 8.□ 9.□ 10.□
（←まったく意識できていない）   （はっきりと意識できている→）

■ 最も楽しく、嬉しいことは?

_____

■ 最もつらく、悲しいことは?

_____

■ このキャラクターについて周囲のみんなが知っていることは?	■ キャラクター本人以外の全員が知っていることは?
■ 主人公だけが知っていることは?	■ 登場人物全員が知らず、ストーリーの展開と共に明らかになることは?

第1章

第2章

第3章

第4章

第5章

第6章

第7章

外見

■ 体格は?

　✎

■ 姿勢は?

　✎

■ 頭の形は?

　✎

■ 眼は?

　✎

■ 鼻は?

　✎

■ 口は?

　✎

■ 髪は?

　✎

■ 肌は?

　✎

■ タトゥーやピアスや傷跡は?

　✎

■ 声は?

　✎

■ 第一印象で気づくことは?

　✎

■ 服装は?

　✎

■ キャラクターは自分の容姿をどう言い表すか?

　✎

■ 健康状態や心身の障がいは?

　✎

特徴

■ 愛情を表現する方法は？

　　□ 贈り物をする

　　□ 充実した時間にする

　　□ 肯定的な言葉を言う

　　□ 相手のために何かをする

　　□ 身体的なふれあいをする

■ 最も強い／弱い特徴は？

　✏ _____

　　■ 長所が翻（ひるがえ）って短所になるとしたら？

　　✏ _____

■ 自制心や自己鍛錬の度合いは？

　✏ _____

■ 何に対して理不尽な怒りを爆発させるか？

　✏ _____

■ どんな時に泣くか？

　✏ _____

■ 不安に感じることは？

　✏ _____

■ 秀でている面や才能は？

　✏ _____

■ 人々がこのキャラクターについて最も好きな点は？

　✏ _____

第1章

第2章

第3章

第4章

第5章

第6章

第7章

興味や好み

■ 政治的な考え方は?

　✎

■ コレクションは?

　✎

■ 食べ物や飲み物は?

　✎

■ 音楽は?

　✎

■ 本は?

　✎

■ 映画は?

　✎

■ スポーツやレクリエーションは?

　✎

　　■ 学生時代にそのスポーツをしていたか?

　　✎

■ 色は?

　✎

■ 週末の過ごし方は?

　✎

■ もらって一番嬉しいプレゼントは?

　✎

■ ペットは?

　✎

■ 乗り物は?

　✎

■ 大きな所持品（自動車、家、ボートなど）は何で、どれが一番お気に入りか?

　✎

よくする表現や態度

■ よくする表現

    ■ 嬉しい時は?

       ✎ _____

    ■ 怒っている時は?

       ✎ _____

    ■ 不満な時は?

       ✎ _____

    ■ 悲しい時は?

       ✎ _____

    ■ 不安な時は?

       ✎ _____

■ ちょっとした癖は?

  ✎ _____

■ 何に対して笑うか?

  ✎ _____

■ どんなことをしたら元気になるか?

  ✎ _____

■ どんなことをしたら嫌がるか?

  ✎ _____

■ 希望と夢は?

  ✎ _____

    ■ その夢を追う自分を、自分でどう見ているか?

       ✎ _____

■ 誰かに対しておこなった最悪のことは?　なぜおこなったのか?

  ✎ _____

■ 最も大きな成功体験は?

  ✎ _____

■ 最も大きなトラウマは?

  ✎ _____

■ 最も恥ずかしかったことは?

✎ _____

■ 世界の中で最も気にかけている大切なことは?

✎ _____

■ 秘密にしていることは?

✎ _____

■ このキャラクターが実行し、成功するとすれば、それは何?

✎ _____

■ このキャラクターを一言で言い表すとすれば、どういう種類の人物か?

✎ _____

■ このキャラクターについて、あなたが一番好きなところは?

✎ _____

■ 読者が、即座にこのキャラクターに同情する理由は?

✎ _____

■ このキャラクターの声は、どう聞こえるか?

✎ _____

■ このキャラクターはどのように平凡か、あるいは変わっているか?

✎ _____

■ このキャラクターが置かれたシチュエーションはどのように平凡か、あるいは変わっているか?

✎ _____

■ 根本的に必要としていることは?

✎ _____

■ このキャラクターらしさを表す逸話や瞬間は?

✎ _____

■ 個人史

第1章

第2章

第3章

第4章

第5章

第6章

第7章

キャラクターについての質問

背景
住んでいる場所は?
仕事は?
知っていることは?

特徴
最大の長所は?
最も目立つ短所は?
一番恐れていることは?

関心と好み
好きな映画、歌、本は?
支持する政党、政策は?
もらって一番嬉しいものは?

ものの見方
自分について何と言うか?
信じていることは?
いまだに残る、過去の
嫌な記憶は?

外見
身長、体重、姿勢や
身のこなしは?
目、鼻、口、髪、肌は?
服装は?

表現と態度
何を面白がって笑うか?
何に対して怒るか?
元気づける一番の方法は?

https://www.helpingwritersbecomeauthors.com

フリーハンド・インタビュー

　キャラクターが心の内を明かしてくれないタイプなら、「フリーハンド・インタビュー」を試して下さい。一般的なインタビュー形式で質問をするよりも、「どうしたの?　何か、言えないことがあるの?」と問いかけ、紙面で自由に語らせてみるのです。意外な本音をたくさん引き出すことができるでしょう。

（「無口な人物の本音を引き出す『フリーハンド・インタビュー』」『アウトラインから書く小説再入門』　148-150頁）

例

作者：どうして協力してくれないの?

キャラクター：何で、馬鹿な質問ばかりするの?

作者：私が言うとおりにしてくれないと困るのよ。意地悪な継母に仕返ししてよ。ふくれっ面をして黙るんじゃなくて。

キャラクター：口で言うのは簡単よ。あなたはあの人を知らないもの。それに私、ただ黙ってるんじゃないわ。誰かが家事をしなきゃならないし、妹たちの世話だって。私がやらなきゃ、家はめちゃくちゃよ。

エクササイズ

■ 作者 ✎

　

■ キャラクター ✎

　

■ 作者 ✎

　

■ キャラクター ✎

第1章

第2章

第3章

第4章

第5章

第6章

第7章

■ 作者 ✎

■ キャラクター ✎

■ 作者 ✎

■ キャラクター ✎

■ 作者 ✎

■ キャラクター ✎

■ 作者 ✎

■ キャラクター ✎

■ 作者 ✎

■ キャラクター ✎

■ 作者 🖉 _____

_____

■ キャラクター 🖉 _____

_____

■ 作者 🖉 _____

_____

■ キャラクター 🖉 _____

_____

■ 作者 🖉 _____

_____

■ キャラクター 🖉 _____

_____

■ 作者 🖉 _____

_____

■ キャラクター 🖉 _____

_____

■ 作者 🖉 _____

_____

■ キャラクター 🖉 _____

_____

人格のプロファイリング

　人格のプロファイリングもキャラクターの性質を知るのに役立ちます。よく使われているマイヤーズ・ブリッグスタイプ指標（MBTI）や四体液説、エニアグラムをはじめとするアプローチは、キャラクターにリアリティをもたらすための貴重なガイドとなるでしょう。

註：『アウトラインから書く小説再入門』では、こうした性格診断はキャラクターの自然な発展を妨げることがあるので私は好きではない、と書きましたが、現在ではリアリティのあるキャラクターの創作におおいに役立つと考えています。

（「性質のバランスチェックに役立つ『エニアグラム』」『アウトラインから書く小説再入門』 150-152頁）

マイヤーズ・ブリッグスタイプ指標

　マイヤーズ・ブリッグスタイプ指標は性格を16タイプに分類し、人が情報をどう処理して対外的な関係を結ぶかを示します。下記のエクササイズで、キャラクターに合うものを二者択一で選び、アルファベットを空欄に記入して下さい。最終的に4文字のコードで診断します。

（詳しくはウェブページhttps://www.helpingwritersbecomeauthors.com/OYNW-Myers-Briggs［英語］
よく知られる作品のキャラクターの診断結果はhttps://www.helpingwritersbecomeauthors.com/OYNW-Bishop［英語］）

例

■ 『アイアンマン』シリーズのトニー・スタークは**ENTJ**（**リーダータイプ**）。
■ チャールズ・ディケンズ作『大いなる遺産』のピップは**ISFP**（**芸術家タイプ**）。
■ 『スタートレック』シリーズのジェームズ・T・カーク船長は**ESTP**（**冒険家タイプ**）。

エクササイズ

志向性：キャラクターは外側に意識を向けるのが好きか（外向型：**E**）、自己の内面に意識を向けるのが好きか（内向型：**I**）？

情報：キャラクターは基本的な情報をそのまま取り入れるか（感覚型：**S**）、その情報を解釈して意味を捉えるのが好きか（直観型：**N**）？

決定：何かを決める時、キャラクターはまず論理の一貫性に注目するか（思考型：**T**）、人々や周囲の状況を見るか（感情型：**F**）？

構成：外の世界に対処する時、キャラクターはすばやく決断をするか（判断型：**J**）、さらに新しい情報や選択肢を取り入れようとするか（知覚型：**P**）？

＿＿＿　＿＿＿　＿＿＿　＿＿＿

四体液説

　古代から唱えられてきた「四体液説」（現代では米国の牧師で作家でもあるティム・ラヘイら多数によって普及）は人の性質を「胆汁質」「憂鬱質」「多血質」「粘液質」の4つに分類します。次頁の解説を読み、あなたのキャラクターに最も近いものに印をつけてみて下さい。

（詳しくはティム・ラヘイ著『Why You Act the Way You Do（未）』）

例

■ エマ・ウッドハウスは胆汁質。　　　　　　　　　　（ジェーン・オースティン作『エマ』）

■ エンダー・ウィッギンは憂鬱質。　　　　（オースン・スコット・カード作『エンダーのゲーム』）

■ マイク・ワゾウスキは多血質。　　　　　　　（ピート・ドクター監督『モンスターズ・インク』）

■ スティーブ・ロジャースは粘液質。　　　　　　（ジョー・ジョンストン監督『キャプテン・アメリカ／
　　　　　　　　　　　　　　　　　　　　　　　　　　　　ザ・ファースト・アベンジャー』）

第4章

エクササイズ

□ 胆汁質
何事も中途半端で済ませない。全力疾走するかのような生き方が最大の強みでもあり、弱点でもある。意志が固く、アグレッシブで、生産的。「合格点」が取れる人。完璧主義を地でいくが、仕事を完全にやり遂げるとは限らない。支離滅裂で短気で横柄な時もある。たいていは外向的で、リーダー役であることが多い。

□ 憂鬱質
4つのタイプの中で、おそらく最も才能がある。自然に芸術的な表現をすることが多い。細部に目が行き届き、忍耐強く、理想主義的。だが、不安や無力感によく襲われる。自らの完璧主義と気持ちの揺らぎのために尻込みし、物事をやり遂げづらくなってしまう時がある。内向的である場合が多い。

□ 多血質
どこにいても、場を盛り上げるタイプ。陽気で面白く、社交的でカリスマ性がある。聞き応えのある話をするのが得意。思いやりがあり、良くも悪くも感情が豊か。だが、このタイプも支離滅裂で頼りにならない時があり、一貫性のあるスケジュールが立てづらく、物事を完成させにくい。

□ 粘液質
沈着冷静で、少々のことでは動じない。他のタイプが陥りやすい気分の変動を避けようとする。頼りがいがあり、思慮深く、現実的。だが、物事を始めるモチベーションやエネルギーが得づらいために、やはり、このタイプにも物事を最後まで成し遂げるのが困難な時がある。

エニアグラム

エニアグラムは9つのカテゴリーを用いる性格分類です。キャラクターの人物像をふくらませ、性格を端的に示し、「重大な欠点」を特定するのに役立ちます。

（詳しくはウェブサイト https://www.helpingwritersbecomeauthors.com/use-the-enneagram-to-write-better-characters［英語］）

例

- ■『風と共に去りぬ』のスカーレット・オハラは「**4.個性的な人**」。
- ■ 探偵シャーロック・ホームズは「**5.調べる人**」。
- ■『スター・ウォーズ』シリーズのハン・ソロは「**7.熱中する人**」。

エニアグラム・チャート

タイプ	理想	恐れ	欲望	欠点
1. 改革する人	完璧	腐敗	正義	怒り
2. 助ける人	自由	無力	愛	虚飾
3. 達成する人	希望	無気力	評価	欺瞞
4. 個性的な人	独創性	平凡	本物志向	嫉妬
5. 調べる人	全知	無益	能力	強欲
6. 忠実な人	忠誠	孤立	安全	恐怖
7. 熱中する人	労働	退屈	体験	大食
8. 挑戦する人	真実	無軌道	自立	色欲
9. 仲裁する人	愛	喪失	安定	怠惰

第1章

第2章

第3章

第4章

第5章

第6章

第7章

キャラクターの好感度チェックリスト

　読者がキャラクターを好きになれば、ずっとついてきてくれるでしょう。そうなれば、ただの読書体験だけでは終わりません。物語が終われば寂しくなり、書籍を何度も読み返してくれるはず。そして、キャラクターを永遠に心に住まわせてくれるのです。

　好まれるキャラクターを創作するにはリアリティや説得力を加えるだけでなく、読者の心を揺さぶることも必要です。好かれる人物であっても完璧な人というわけではありません。どこから見ても善人ならば、読者はずっとついていく気にはなれず、むしろ嫌気がさすでしょう。好感がもてるキャラクターにはいろいろな形や程度があります。どこから見ても愛らしいキャラクターもいれば、欠点があっても憎めないキャラクターもいます。

　次の質問に答えて主人公の好感度を磨いて下さい。

エクササイズ

■ 1. 主人公ならではの特徴を表す**行動**は?

✎ _____

■ 2. 一般的になされる善悪の**モラル**の判断を、主人公はどう表現する?

✎ _____

■ 3. 主人公は**私利私欲のない**態度を、どう見せる?

✎ _____

■ 4. 主人公は自分の**能力**をどのように披露する?

✎ _____

■ 5. 主人公のことが**大好き**なキャラクターは誰?

✎ _____

■ 6. 主人公は**勇気**をどう見せる?

✎ _____

■ 7. 主人公は**意志の強さ**をどう見せる?

✎ _____

■ 8. 主人公のゴールや夢、欲望の中で、読者が**共感**できそうなものはどれ?

✎ _____

■ 9. 主人公はどんな場面で**機転**をきかせるか?

✎ _____

■ 10. 主人公は他者への**思いやり**をどう示すか?

✎ _____

■ キャラクターについて、最も目立つ特徴を3つ挙げ（例：テレビドラマ『ボナンザ』のカートライト兄弟の次男ホスは力持ち）、それぞれの特徴をストーリーの中で描く方法を少なくともひとつ考えて下さい。

　　■ 特徴1

　　✎ _____

　　　　■ その特徴をどう描く?

　　　　✎ _____

　　■ 特徴2

　　✎ _____

　　　　■ その特徴をどう描く?

　　　　✎ _____

　　■ 特徴3

　　✎ _____

　　　　■ その特徴をどう描く?

　　　　✎ _____

マイナーなキャラクター

主要な登場人物以外で目立つキャラクターについて、次の質問に答えて下さい。

エクササイズ

■ キャラクターの名前は?　　　　■ 身分、職業は?

■ 意外性のある特徴は?

■ 人生の中での目標は?

■ プロットの中での目標は?

■ 危機にさらされているものは?

■ ストーリーの終わりまでに起きる、性格やステイタスの変化は?

エクササイズ

■ キャラクターの名前は?　　　　　　■ 身分、職業は?

🖉 _____　　　🖉 _____

■ 意外性のある特徴は?

🖉 _____

■ 人生の中での目標は?

🖉 _____

■ プロットの中での目標は?

🖉 _____

■ 危機にさらされているものは?

🖉 _____

■ ストーリーの終わりまでに起きる、性格やステイタスの変化は?

🖉 _____

エクササイズ

■ キャラクターの名前は?　　　　　　■ 身分、職業は?

🖉 _____　　　🖉 _____

■ 意外性のある特徴は?

🖉 _____

■ 人生の中での目標は?

🖉 _____

■ プロットの中での目標は?

🖉 _____

■ 危機にさらされているものは?

🖉 _____

■ ストーリーの終わりまでに起きる、性格やステイタスの変化は?

🖉 _____

考えてみよう

　　主人公について、複数のキャラクターが話し合っているシーンを書いてみましょう。主人公は登場させないこと。何か、驚くような気づきや発見は得られるでしょうか?

振り返ってみよう

1. あなたのキャラクターは84頁から85頁の「好感が持てる」10個の特徴のほとんどを体現していると感じますか?
2. 主人公が「いい人」としてふるまう時に、葛藤と対立を恐れていると思いますか?
3. マイナーなキャラクターを立体的に描くには、どう発展させるとよいでしょうか?
4. あなたが好きなキャラクターが読者にとって印象深いのは、どんな特徴があるからですか?
5. あなた自身か、知っている人をベースにしてキャラクターを作ったことはありますか?
6. 今、考えているストーリーはキャラクターから思いつきましたか、それともプロットを先に考えましたか?

参考文献やウェブサイト

- "Why Nice Characters Equal No Conflict," K.M. Weiland, https://www.helpingwritersbecomeauthors.com/2011/06/why-nice-characters-equal-no-conflict
- "5 Steps to Dazzling Minor Characters," K.M. Weiland, https://www.helpingwritersbecomeauthors.com/2010/08/5-steps-to-dazzling-minor-characters
- "What makes a sympathetic hero?," Jason Black, https://www.helpingwritersbecomeauthors.com/OYNW-Black ［Not Found］
- "9 character qualities that generate support," Darcy Pattison, https://www.helpingwritersbecomeauthors.com/OYNW-Pattison
- "The Character Traits Thesaurus," Writers Helping Writers, https://writershelpingwriters.net/2010/10/character-traits-thesaurus-collection

第1章

第2章

第3章

第4章

第5章

第6章

第7章

第5章

舞台設定

　創作の中で、舞台設定は見過ごされがちかもしれません。人物やプロット作りに熱中する一方で、舞台設定のパワフルな影響力を常に意識できているとは限らないのです。

　あなたが書いているストーリーのタイプによっては、キャラクターの居場所をとりあえず決めておくだけでよいかもしれません。しかし、名作の舞台設定はただの風景にとどまらず、キャラクターに生命を吹き込むもの。だとすれば、しっかりと考えていきたいものです。

第1章

第2章

第3章

第4章

第5章

第6章

第7章

舞台設定についての質問

　舞台設定に関する弱点を強化し、可能性を存分に発揮させるために、次の質問に答えて下さい。

（「舞台設定でユニークな世界観を作る」『アウトラインから書く小説再入門』　158-163頁）

エクササイズ

■ ストーリーの主な舞台となる場所の設定は？

　✎ _____

■ その設定はプロットと深く関わり合っているか？

　✎ _____

■ もし設定を変えるなら、プロットはどう変わる？

　✎ _____

■ キャラクターは自分が置かれた舞台をどう見ている？

　✎ _____

■ その舞台設定がストーリーのトーンに及ぼす影響は？

　✎ _____

　主な舞台設定の中で、サブの舞台として面白いものを10種類、考えてみましょう。

例

■ スティーヴン・キング作『刑務所のリタ・ヘイワース』とその映画版『ショーシャンクの空に』のメインの舞台設定は刑務所だが、サブの舞台設定には図書室やいろいろな独房、看守の事務室などがある。

■ クリストファー・ノーラン監督の『バットマン ビギンズ』のメインの舞台設定はゴッサム・シティだが、サブの舞台設定としてウェイン家の屋敷やウェインタワー、アーカム精神病院などがある。

■ ジョージ・ルーカス監督の『スター・ウォーズ』シリーズのメインの舞台設定は惑星タトゥイーンがある遥か彼方の銀河系だが、サブの舞台設定としてラーズ家の農場やモス・アイズリー宇宙港、ジャバの宮殿などがある。

エクササイズ

- 1. ✎ _____

- 2. ✎ _____

- 3. ✎ _____

- 4. ✎ _____

- 5. ✎ _____

- 6. ✎ _____

- 7. ✎ _____

- 8. ✎ _____

- 9. ✎ _____

- 10. ✎ _____

- どの舞台があなたのストーリーにとって効果的?

  ✎ _____

- クライマックスで使いたい舞台設定は?

  ✎ _____

- その舞台設定は主人公の内面の葛藤をどのように表すか?

  ✎ _____

- その舞台設定はどのように葛藤と対立を深めるか（身体的な戦いであれば、物理的な障害物の有無は）?

  ✎ _____

- クライマックスで主人公と敵対者が間近で対決せざるを得なくなるように、舞台の空間をもっと狭くすることは可能か?

  ✎ _____

- 主人公が身体面や感情面で居心地の悪さを感じるように、何かを加えるとしたら?

  ✎ _____

- クライマックスの伏線を張るには?

  ✎ _____

第1章

第2章

第3章

第4章

第5章

第6章

第7章

エクササイズ

舞台設定チェックリスト

☐ その舞台設定は記憶に残るか?

☐ 統一感またはコントラストによって、テーマを強く打ち出せているか?

☐ 主要なプロットポイント（106頁）のシーンを、できる限りエキサイティングで説得
力があるものにできるか?

☐ ストーリーを展開させるために確立した場（ニューヨーク、中国、宇宙空間など）
の中に収まっているか?

☐ ストーリーの冒頭と終わりとで、舞台設定が合わせ鏡のようになっているか、ある
いは対照的な様子を見せているか?

☐ 自分にとってなじみがあるか、面白いと感じられる設定か?

クライマックスの舞台設定の選び方

プロットの論理的な筋道＋前に提示した事柄や伏線＋テーマとの共鳴性＋主人公に与える感情的なトラウマ＋身体的、物理的な閉塞性＝

大使館
『ローマの休日』

主人公
スペードの家
『マルタの鷹』

死刑執行室
『グリーンマイル』

無法者たちの
野営地
『トゥルー・グリット』

空港
『オウエンのために祈りを』

墓地
『荒涼館』

第1章

第2章

第3章

第4章

第5章

第6章

第7章

舞台設定リスト

　ストーリーの中で用いる舞台設定をリストアップして下さい。後で新しい舞台設定を思いついたら、この頁に追加しましょう。

　リストを書き終えたら見直して下さい。削除できそうなものや、ひとつに統合できそうなものはあるでしょうか？　さらに面白い設定や鮮やかな設定、よりシーンにふさわしい設定を選ぶことはできるでしょうか？

エクササイズ

■ 1. ✎ _____

■ 2. ✎ _____

■ 3. ✎ _____

■ 4. ✎ _____

■ 5. ✎ _____

■ 6. ✎ _____

■ 7. ✎ _____

■ 8. ✎ _____

■ 9. ✎ _____

■ 10. ✎ _____

■ 11. ✎ _____

■ 12. ✎ _____

■ 13. ✎ _____

■ 14. ✎ _____

■ 15. ✎ _____

世界観の構築

多くのジャンルでは、舞台設定は単なる背景の域を出ず、作者の実体験やリサーチで得た情報を当てはめて作ります。でも、ファンタジーの不思議な世界を描くなら、素晴らしい機会となるでしょう。現実の制約を受けることなく、どんな世界でも自由に創作できるのです。

果てしない可能性に圧倒される場合もあるでしょう。どこから始めるべき？ 美しくて奇妙な要素を組み込みながら、風景から政府まで、ディテールを作り上げるには？ まず、イマジネーションを大胆に働かせましょう。固定観念からの脱却を念頭に置き、彩りがあり独創的でわくわくするようなアイデアを探し求めて、型破りな発想を心がけて下さい。

それと同時に、思いついたことをできるだけ具体的にするために、キャラクターにインタビューをする手法を使ってみましょう。あなたが考えている舞台設定について、次の質問に答えて下さい。

（参考記事：パトリシア・C・リーデ「Fantasy Worldbuilding Questions」
https://www.helpingwritersbecomeauthors.com/OYNW- Wrede［英語］）

第5章

エクササイズ
■ そこはどんな風景か？

✎ _____

  ■ どんな植物が生えているか？

   ✎ _____

■ 気候は？

  ✎ _____

■ そこに生息している動物は？

  ✎ _____

第1章

第2章

第3章

第4章

第5章

第6章

第7章

■ その世界で見られる社会は?

✏

  ■ 衣服のスタイルは?

  ✏

  ■ 人々の世界観を定義するモラルや宗教観は?

  ✏

  ■ 話されている言語は?

  ✏

  ■ 現在の政府の形態は?

  ✏

■ テクノロジーはどれぐらい発達しているか?

✏

  ■ 遠隔地どうしのコミュニケーションの手段は?

  ✏

  ■ どんな交通手段があるか?

  ✏

  ■ エンターテインメントや芸術に関するテクノロジーは?

  ✏

  ■ 武器や兵器に関するテクノロジーは?

  ✏

  ■ 医学や科学はどれぐらい発達しているか?

  ✏

■ その世界の自然法則は?

🖉 _____

　■ 私たちの世界の自然法則と異なるものは?（例：引力）

　🖉 _____

　■ 超自然的な力はあるか?　どう作用するか?　限界や欠点は?

　🖉 _____

■ その世界にはどんな人々がいるか?

🖉 _____

　■ 異なる人種はいるか?

　🖉 _____

　■ 人種や地域によって慣習はどう異なるか?

　🖉 _____

　■ 民族間の関係はうまくいっているか?

　🖉 _____

■ その世界の歴史は?

🖉 _____

　■ 歴史の記録は何年前からなされてきたか?

　🖉 _____

　■ 社会を形成した歴史的な出来事は?

　🖉 _____

第1章

第2章

第3章

第4章

第5章

第6章

第7章

考えてみよう

　元々の設定とは大きく異なる場所でストーリーを展開させたらどうなるかを想像して下さい（カンサス州をロサンゼルスに、アメリカを中国に、地球を火星に、現代を中世の暗黒時代に、など）。プレミスがさらによくなる点と、逆にうまくいかなくなる点とをリストアップしましょう。

振り返ってみよう

1. ストーリーを考え始めた時から、主な舞台設定がうまくいきそうだと感じていましたか？　そう感じていたなら、その理由は？　そう感じていなければ、なぜ？

2. あなたが考えた舞台設定は、主人公と敵対者の葛藤と対立をどのように激化させたり、コントラストをつけたりしますか？

3. あなたが考えた舞台設定は、主人公の内面の葛藤をどのように深め、コントラストをつけますか？

4. あなたが考えたメインの舞台設定は実体験をもとにしているか、想像で作ったものか、あるいはその両方をかけ合わせたものでしょうか？

5. あなたが好きなストーリーで記憶に残る瞬間は、舞台設定もはっきりと思い出せますか？

6. 現実の世界を舞台とするストーリーでも、「世界観の構築」クエスチョンは役に立つと思いますか？

参考文献やウェブサイト

- "One Thing the Movies Can Teach You About Setting," K.M. Weiland, https://www.helpingwritersbecomeauthors.com/2008/01/one-thing-movies-can-teach-you-about

- "Illustrate Your Character Through His Surroundings," K.M. Weiland, https://www.helpingwritersbecomeauthors.com/2011/07/illustrate-your-character-through-his

- "The Case of the Vanishing Setting," K.M. Weiland, https://www.helpingwritersbecomeauthors.com/2012/02/most-common-mistakes-series-case-of

- "Creating Unforgettable Settings," Writers Helping Writers, https://www.helpingwritersbecomeauthors.com/OYNW-Ackerman

- "Why You Need to Focus on Description," Joe Bunting, https://www.helpingwritersbecomeauthors.com/OYNW-Bunting2

第1章

第2章

第3章

第4章

第5章

第6章

第7章

第 **6** 章

詳細アウトライン

「詳細アウトライン」でプロットは本格的に始動します。一歩ずつ、できるだけ詳しく（会話文や地の文なしで）要所をまとめ、全体像を作って下さい。すんなり進む部分もあれば、手を止めてプロットポイントやキャラクターの動機を考えるところもあるでしょう。このワークブックの他の章よりも時間がかかるかもしれませんが、創造力をフルに発揮する段階ですから、最も楽しくやりがいのある作業になるはずです。

第1章

第2章

第3章

第4章

第5章

第6章

第7章

ストーリーの要素

では、あなたのストーリーの形をしっかり決める作業に入りましょう。想定する読者層は？ 文体のフィーリングやトーンは？　テンポは速いか、ゆったりか？　過去形で書くか、現在形で書くか？

あなたにとって完璧な小説とは何でしょう？　好きな小説や映画の中で、特に心をつかまれる要素を探してみて下さい。それは戦闘シーンでしょうか、それとも恋愛シーン？　ユーモアのある会話？　プロットのひねり？　悲しい結末？　ハッピーエンド？　あなたが重視する要素はすでに、これまでの作業に表れているはずです。それらを見抜くことができれば、さらにパワフルに、ストーリーに当てはめていけるでしょう。あなたが好きな小説や映画を4つ挙げ、それぞれの好きな要素を3つ書いて下さい。

（「あなたが書こうとしているのはどんなストーリー？」『アウトラインから書く小説再入門』 179-184頁）

例

■ パトリック・オブライアン作『新鋭艦長、戦乱の海へ』
　好きな要素：主要な登場人物たちの間の友情、抑えたユーモア、歴史的なディテール

エクササイズ

■ 1. ✎ _____

　好きな要素 ✎ _____

　_____

■ 2. ✎ _____

　好きな要素 ✎ _____

　_____

■ 3. ✎ _____

　好きな要素 ✎ _____

　_____

■ 4. 🖉 _____

好きな要素 🖉 _____

_____

■ 全部あるいは多数に共通して挙がっている要素は何?

🖉 _____

_____

■ どうすれば、その要素をあなたの作品に組み込めるか?

🖉 _____

_____

■ 映画になるとしたら、どんなカテゴリーに入るか?
　（例：ラブコメ、夏の超大作、アカデミー賞狙い）

🖉 _____

_____

■ そのストーリーにユーモアを入れるにはどうすればいいか?

🖉 _____

_____

■ ストーリーの中に出てくるアクションは、どのようなものか?

🖉 _____

_____

■ 焦点となる人間関係は?

🖉 _____

_____

第1章

第2章

第3章

第4章

第5章

第6章

第7章

語り口と主観

　主観（POV＝Point of View）の選択は安易になりがちです。ストーリーを思いついて書こうとする時、一人称と三人称のどちらにするかを30秒で決めてしまう人もいそうです。しかし、その決定が、以後の10万文字以上にのぼるすべてに影響し、ストーリーのトーンやアークを左右します。シーンの中で何を書き、何が「カメラに写らない」部分になるかが決まるのです。どの扉を閉じて、どの扉を開けるかの選択でもあります。主観はストーリーの成否の鍵となる、たったひとつの最も大切な要因とも言えるでしょう。

　メインの視点となるキャラクターを選べば、作品全体のトーンに影響が及びます。妥当だと思う選択肢以外にも、いろいろなキャラクターを試してみるといいでしょう。思い切って、変わった語り口や雰囲気を模索すること。まず、次の質問に答えてみて下さい。

（「誰の主観で書きますか？」『アウトラインから書く小説再入門』 181-184頁）

エクササイズ

■ 語り手になるキャラクターたちは誰?

✎ _____

■ ストーリーのドラマ性に影響を与えない程度に、それらの主観のどれかを削除できるか?

✎ _____

■ 最も大きなリスクを負うキャラクターは誰?

✎ _____

■ そのキャラクターは主要な語り手になっているか?　その理由は?

✎ _____

■ ストーリーを語る時の人称は?

　□ 三人称(マックはその店に行った)

　□ 一人称（私はその店に行った）

　□ 二人称（あなたはその店に行った）

　□ 全知の視点（マックはそこにアーサーがいるとは知らず、その店に行った）

■ ストーリーを語る時の時制は?

　□ 過去形（マックは扉を開けた）

　□ 現在形（マックは扉を開ける）

■ 語り手の候補となるキャラクターの口調を試すために、1段落ほど書いてみて下さい。

　　　■ キャラクターの名前　🖊 _____

　　　■ 語り口調のテスト　🖊 _____

　　　_____

　　　_____

　　　_____

　　　■ キャラクターの名前　🖊 _____

　　　■ 語り口調のテスト　🖊 _____

　　　_____

　　　_____

　　　_____

　　　■ キャラクターの名前　🖊 _____

　　　■ 語り口調のテスト　🖊 _____

　　　_____

　　　_____

　　　_____

■ キャラクターの名前　✎ _____

■ 語り口調のテスト　✎ _____

_____

_____

_____

■ キャラクターの名前　✎ _____

■ 語り口調のテスト　✎ _____

_____

_____

_____

■ 最も面白い語り口調のキャラクターは?

✎ _____

読者層を知る

　あなたの作品の読者がどんな人たちで、何を期待するかを知っておきましょう。いつ、どのように期待に応えるかを考えて決めるべき。そこで、ひとり、あなたのことや、あなたの世界観を理解してくれている人を選んでみましょう。必ずしもあなたと意見がすべて一致するわけではない人が理想的です。その人は、あなたのストーリーをどう思うでしょうか？　好きな点は？　嫌いな点は？　どこをどう変えれば、もっとよくなると言うでしょうか？　このひとりの読者を心にとどめてアウトラインを作れば、あなたが意図する読者層がはっきりと意識できます。

エクササイズ

■ あなたの作品の読者層について、次の質問に答えて下さい。

　■ 年齢は？

　🖉 _____

　■ ジェンダーは？

　🖉 _____

　■ 民族は？

　🖉 _____

　■ 信仰する宗教は？

　🖉 _____

第1章
第2章
第3章
第4章
第5章
第6章
第7章

ストーリーの構成

　どんなストーリーにとっても、構成は技術面で最も重要。しっかりした基盤と焦点をもたらします。構成はアクションの起伏とキャラクターの発展を作るロードマップで、長年かけて実証された型が存在します。

　最も基本的なレベルで言えば、構成とはタイミングです。絶妙なタイミングで読者の関心をつかむ出来事が起き、主人公のリアクションを描けるのは構成のおかげ。想像力のギアを上げ、思う存分ワイルドなアイデアを出す自由がある一方、プロットをすっきりとまとめる構成の「カンニングペーパー」の助けも必要なのです。

　構成の王道はストーリーを3つの幕に分ける方法です。アウトラインを作り始めたら、次の質問に答えて構成の確認をして下さい。答えがまだわからない場合は空白にしておき、後で書き込みましょう。

（構成については『ストラクチャーから書く小説再入門』をお読み下さい）

エクササイズ
第1幕

■ 読者の関心を引く「フック（つかみ）」は？

✎ _____

■ 即座に読者の好奇心をそそる問いや疑問は？

✎ _____

■ どんな「特徴が表れる瞬間」で主人公を紹介するか？

✎ _____

■ 主人公の「普通の世界」はどんな世界？

✎ _____

■ キャラクターが身体的に動きを見せる最初のシーンでは、何をしている？

✎ _____

■ なぜ読者は主人公を気にかけたり、同情したりするか？

✎ _____

■ 昌頭、主人公は何が欲しいか？　あるいは何がしたいか？

🖉

■ その望みを叶えるためには、何をすべきだと主人公は思っているか？

🖉

■ その望みに反対もしくは対抗し、邪魔をする人物や物事は？

🖉

■ その望みが叶わなければ、どうなってしまうか？

🖉

■ 主人公以外の主要キャラクターをどう登場させるか？

🖉

■「インサイティング・イベント」となる出来事は？

🖉

■「キー・イベント」となる出来事は？

🖉

■ 第1幕の終わりのプロットポイント1で「普通の世界」は揺らぎ、キャラクターは敵対勢力とぶつからざるを得なくなる。それは、どのように？

🖉

第1章

第2章

第3章

第4章

第5章

第6章

第7章

第2幕

■ 第1幕の終わりのプロットポイント1に対する主人公の反応は?

  🖉

■ スパイラル状に起きていく出来事は、この時点では主人公の手に負えない。
　具体的には、どのように?

  🖉

■ 主人公は望みに手が届かなくなってしまう。なぜ?

  🖉

■ 葛藤と対立から、どんな新しい課題や目標、ゴールが生まれる?

  🖉

■ 第2幕が4分の1ほど進んだところで「ピンチポイント」と出会う。
　ここで示される敵対者の「手強さ」とは?

  🖉

■「ミッドポイント」での出来事で、主人公はただ翻弄されるのをやめて敵対勢力に
　行動をしかける。それは、どんな出来事?

  🖉

■ ミッドポイントで主人公は、問題や自分の反応について理解や気づきを得る。
　どのような流れで気づくか?

  🖉

■ ミッドポイントの後、主人公はどのように状況を把握して、反撃に出るか?

  🖉

■ 第2幕が4分の3ほど進んだところで再び「ピンチポイント」と出会う。
　ここで示される敵対者の手強さと、クライマックスへの伏線は?

  🖉

■ 第2幕の終わりに、主人公は勝利したかのように見える。それはなぜ?

  🖉

第3幕

■ プロットポイント2でまた敗北し、主人公は深く落ち込む。
その敗北とは、具体的に何か?

🖉 _____

■ この敗北に対する主人公の反応は?

🖉 _____

■ 敵対者に対して、主人公が新たに見せる反応は?

🖉 _____

■ クライマックスで主人公は敵対者とどのように対決する?

🖉 _____

■ クライマックスの場面はどこで展開する?

🖉 _____

■ クライマックスで主人公に起きることは?

🖉 _____

■ クライマックスで敵対者に起きることは?

🖉 _____

■ クライマックスで起きることは?

🖉 _____

■ 最終的にどうなったかを描いておくべき事柄は?

🖉 _____

■ エンディングのシーンに、オープニングのシーンを反映させるには?

　　■ オープニングのシーンでは?

　　🖉 _____

　　■ エンディングのシーンでは?

　　🖉 _____

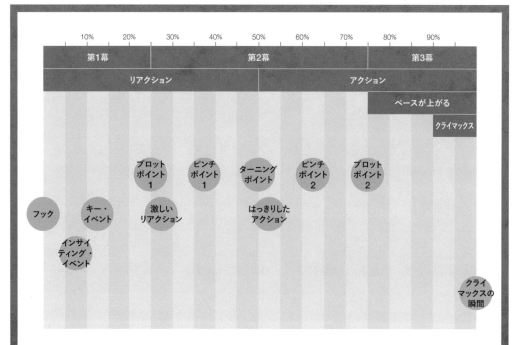

時期	
リアクション	主人公はキー・イベントとプロットポイント1に反応する。
アクション	主人公は行動（攻撃、決断、内面での気づきなど）に出る。いくつかの問題は解決するが、大きな問題は未解決のまま残る。
ペースが上がる	クライマックスが近づくと自然にペースが速くなる（章の長さは短くなる）。
クライマックス	作品全体の最後の10パーセント地点で主人公と敵対者のメインの葛藤と対立が決着に向かう。
解決	本編が終わった後にどうなるかを示す、ちょっとしたヒント（ひとつふたつのシーン）。感情の回復。最後に主人公と共に過ごすひととき。

ポイント	
プロットポイント1	第1の転換点。周囲の状況の変化。人物にとっての転機。主人公は以後、後戻りできない。
ピンチポイント1	敵対者の存在と、そのパワーの提示。
ターニングポイント	第2の転換点。ミッドポイントとも呼ばれる。物語の転機。人物たちにとっての方向転換。受動的なリアクションから能動的なアクションに転じる。主人公に変化を促す。ここから新たに、ドラマチックで新鮮な状況へ。
ピンチポイント2	敵対者の存在と、そのパワーを再び提示。
プロットポイント2	第3の転換点。ここからクライマックスへ。主人公はどん底にいる。主人公と敵対者の対面か決断、決起、予想外の出来事などが起きる。

出来事	
フック	読者の関心をつかんで興味を持たせ、主人公や作品がもつ問いを考えさせる出来事。
インサイティング・イベント	ストーリーが動き出す時の出来事。これに続いてキー・イベントが起きる。
キー・イベント	主人公がストーリーに巻き込まれるきっかけ。
激しいリアクション	主人公がプロットポイント1に対して見せる反応。
はっきりしたアクション	主人公がターニングポイントの後でとる行動。
クライマックスの瞬間	物語のドラマ的な要求を満たす時。

チャート作成：マット・ジェメル・https://mattgemmell.com・@MattGemmell

シーンのチェックリスト

　それでは、「詳細アウトライン」を書きましょう。このアウトラインは長くなる可能性があるため、このワークブックには書き込まず、ノートかパソコンを使って下さい。書くたびに日付を記入し、各シーンに番号を付けましょう。

　プロットをうまく、意外な方向で解決できるかどうか、発想を自由に広げて楽しんで下さい。寄り道や脱線、時制の変更、アイデアの却下をしてもかまいません。このワークブックでこれまでにわかったことを使って伏線を仕掛けてもいいでしょう。いろいろなキャラクターの動機や目的を念頭に、行き先や内面の動きを把握して下さい。

　シーンを構築する時は、主要な出来事をはっきりさせること。それにふさわしい会話文や短い描写を思いついたら書き込んでかまいませんが、そうしたディテール（会話文や描写、心の声など）は初稿を執筆する時に考えることをお勧めします。

　シーンをひとつ作るたびに次頁の質問リストを参照し、ストーリーにとって最大限の効果が得られているかを確認して下さい。

（「詳細アウトラインで物語を育てる」『アウトラインから書く小説再入門』174-198頁）

第1章

第2章

第3章

第4章

第5章

第6章

第7章

エクササイズ

■ そのシーンはどのように次のシーンへとつながるか?

🖉 _____

■ そのシーンはストーリーにとってどれぐらい重要か?

　☐ 削除するとストーリーが成立しない。

　☐ いくつかの重要なディテールが含まれている。

　☐ そのシーンがなくてもストーリーは成立する。

■ そのシーンを書くことに対してわくわくする度合いを10段階で評価すると?

　1.☐　2.☐　3.☐　4.☐　5.☐　6.☐　7.☐　8.☐　9.☐　10.☐

■ なぜ、あなたにとって、そのシーンは大切なのか?

🖉 _____

■ なぜ、読者にとって、そのシーンは大切なのか?

🖉 _____

■ そのシーンが提示する新しい情報は?

🖉 _____

■ そのシーンで重複して出てくる古い情報は?

🖉 _____

■ そのシーンが醸し出す危機感を10段階で評価すると?

　1.☐　2.☐　3.☐　4.☐　5.☐　6.☐　7.☐　8.☐　9.☐　10.☐

■ そのシーンに描かれる葛藤と対立の激しさを10段階で評価すると?

　1.☐　2.☐　3.☐　4.☐　5.☐　6.☐　7.☐　8.☐　9.☐　10.☐

■ 各シーンで起きる主な出来事に対するキャラクターのリアクションを考えたか?

　☐はい ☐いいえ

考えてみよう

　　シーンをひとつ選び、アウトラインを逆向きに作ってみましょう。あなたが想定しているシーンの終わり方に至るためには、キャラクターたちが何をすれば辻褄が合うでしょうか?

振り返ってみよう

1.　ストーリーの構成の中から主要な瞬間を見つけるのは簡単でしたか?　それとも、難しかったですか?
2.　詳細アウトラインでシーンを考える時、あなたは描写を簡潔にする傾向がありますか?　それとも、いろいろな案を探してたくさん書き出すタイプですか?
3.　3幕構成の基本的な考え方を、すでに知っていましたか?
4.　ストーリーの構成は大切だと思いますか?　それとも、創造力が発揮しづらくなると感じますか?

参考文献やウェブサイト

- 　『映画を書くためにあなたがしなくてはならないこと──シド・フィールドの脚本術』（シド・フィールド著、安藤紘平・加藤正人・小林美也子・山本俊亮訳、フィルムアート社、2009年）
- 　『工学的ストーリー創作入門──売れる物語を書くために必要な6つの要素』（ラリー・ブルックス著、シカ・マッケンジー訳、フィルムアート社、2018年）
- 　*Techniques of the Selling Writer*, Dwight V. Swain
- 　"The Plot Thickens," C.S. Lakin, https://www.helpingwritersbecomeauthors.com/OYNW-Lakin
- 　"A Law of Physics—Err, Writing," Linda Yezak, https://www.helpingwritersbecomeauthors.com/OYNW-Yezak [Not Found]

第1章

第2章

第3章

第4章

第5章

第6章

第7章

第7章

変わった形のアウトライン

　アウトラインの形式やサイズはさまざまです。あなたの創作のプロセスは常に発展し続けていますが、自分でそれに気づかない時もあります。ストーリーによっては少し（あるいはかなり）違った戦略が必要になるでしょう。

　凝り固まった方式で満足せず、大胆にいろいろと実験して下さい。

　結局、アウトラインの方式を選ぶことよりも、自分で作っていくことに価値があります。あなたにとって一番よい方法を探し続けていれば、アウトラインの技術をはるかに超えて執筆自体を磨くことができるからです。

　シーンを順番に並べる「リスト」方式ではうまくいかないストーリーもあるでしょう。時系列に並べると、複雑な問題を解き明かすのには役立ちます（小説で扱う問題は複雑なものがよくあります）。しかし、新しい角度で問題を眺めるために、変わった方法でアウトラインを作ってみるとよい時もあります。では、いくつかのユニークな方法を見てみましょう。

マインドマップ

　マインドマップを描けば、問題を時系列ではなく空間的に眺めることができます。自分に規制をかけずに、思い浮かぶものをどんどん書き込んでいきましょう。

　潜在意識に働きかけつつ、視覚的に把握ができるので、行き詰まった時には特に効果的な打開策です。

　紙の真ん中に、中心となるアイデアか出来事を書き、関連する物事を周囲に書いていきます。そこから、さらに連想する物事を書き尽くしたリストを作ります。

（「マインドマップ」『アウトラインから書く小説再入門』 37-38頁）

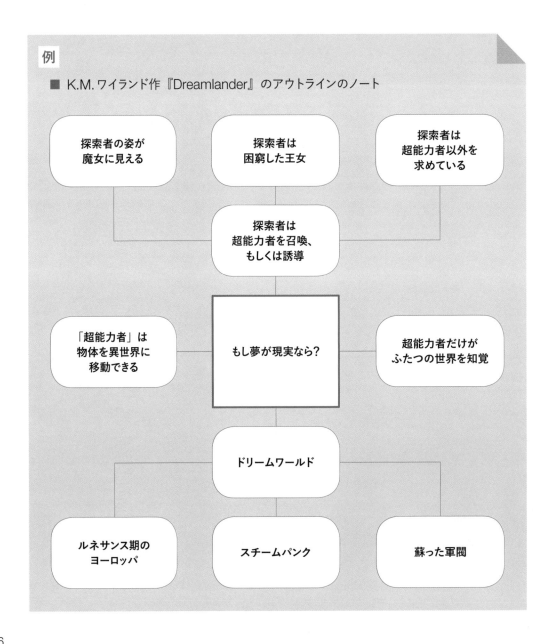

例

■ K.M. ワイランド作『Dreamlander』のアウトラインのノート

エクササイズ

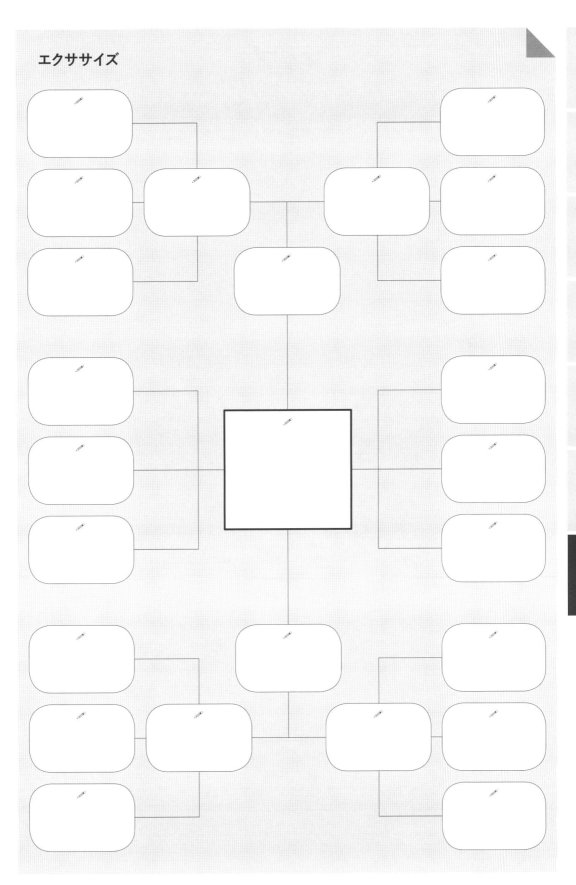

第1章

第2章

第3章

第4章

第5章

第6章

第7章

マップ

　現実の世界で展開するストーリーでも、地図を描いてみると世界観の構築に役立ちます。ストーリーの構成は優れた舞台設定あってこそ。実際にマップを作成すれば、イメージはさらにふくらみます。小説執筆に役立てるためですから、きれいに正確に描く必要はありません。直線が国境で、波線が海で、三角形が山、というような簡単なものでじゅうぶんです。

　あなたのストーリーの主要な舞台の地図を描いて下さい。

（「マップ」『アウトラインから書く小説再入門』　38-39頁）

エクササイズ
■　どこの地図か?

✎＿＿＿＿＿＿＿＿＿＿＿＿＿＿＿＿＿＿＿＿＿＿＿＿＿＿＿＿＿＿＿＿

■　範囲は?
　　□世界　□大陸　□国　□都市　□建物　□その他 ✎＿＿＿＿＿＿＿

　　縮尺：□1センチメートル　□2センチメートル □その他 ✎＿＿＿＿

＝

　　□30センチメートル　□1メートル　□10メートル　□1キロメートル

　　□10キロメートル　□100キロメートル □その他 ✎＿＿＿＿＿

凡例
■　空白に独自の記号を書き入れて下さい。

------------=道路　　　　○ =都市　　　　^^^^^^^ =山

✎＿＿＿＿ = ✎＿＿＿＿　　✎＿＿＿＿ = ✎＿＿＿＿　　✎＿＿＿＿ = ✎＿＿＿＿

✎＿＿＿＿ = ✎＿＿＿＿　　✎＿＿＿＿ = ✎＿＿＿＿　　✎＿＿＿＿ = ✎＿＿＿＿

✎＿＿＿＿ = ✎＿＿＿＿　　✎＿＿＿＿ = ✎＿＿＿＿　　✎＿＿＿＿ = ✎＿＿＿＿

✎＿＿＿＿ = ✎＿＿＿＿　　✎＿＿＿＿ = ✎＿＿＿＿　　✎＿＿＿＿ = ✎＿＿＿＿

✎＿＿＿＿ = ✎＿＿＿＿　　✎＿＿＿＿ = ✎＿＿＿＿　　✎＿＿＿＿ = ✎＿＿＿＿

第1章

第2章

第3章

第4章

第5章

第6章

第7章

5つ星レビューを書いてみる

　自分の作品について完全に客観的にはなれません。でも、理想と現実のギャップを埋める、ちょっとしたアイデアがあります。それは、ストーリーを書く前に「完璧な」レビューを自分で書いてみることです。

　あなたが描くキャラクターやプロット、会話文やテーマを完全に理解してくれるプロのレビュワーがいたとしたら、どんな感想を書いてくれるでしょうか？　少し目を閉じてストーリーを冷静に振り返り、そのレビュワーになってみましょう。そして、以下の質問に、できるだけはっきりと答えを書いてみて下さい。

（「理想と現実のギャップを埋める『五つ星レビュー』シミュレーション」『アウトラインから書く小説再入門』 39-41頁）

エクササイズ

■ このストーリーが好きな理由は?

✎ _____

_____

■ 最もよかった部分は?

✎ _____

_____

■ どのような点がユニークか?

✎ _____

_____

_____

■ プロットについてどう思ったか?

🖉

■ ペースについてどう思ったか?

🖉

■ キャラクターについてどう思ったか?

🖉

■ 主人公のアーク（変化）が好きだと思う理由は?

🖉

■ どのキャラクターが好きか?

🖉

カレンダー

　プロット作りにのめり込むと、時間を忘れます(いろいろな意味で)。12カ月のカレンダーを用意して、あなたの小説の中の出来事にふさわしい月を選び、日付を埋めてみて下さい。たいていのフィクションでは、こまかな日付は問題にはなりません。しかし、歴史フィクション小説なら、いくつかの日付に従う必要が出てきます。何日の何曜日かを合わせるために、カレンダーの中で日付を選んでおきましょう。

　選んだ日付の枠に、その日の主な出来事（パーティー、お葬式、旅行など）をメモして下さい。 出来事の詳細はメインのアウトラインを見れば済みますから、カレンダーのメモは簡潔でかまいません。

　このワークブックのカレンダーを使って、ストーリーのタイムラインを作ってみて下さい。書ききれなければ、別にカレンダーを用意して下さい。銀行や企業が配る粗品のカレンダーを使ってもいいですし、グーグルカレンダーなどの無料オンラインサービスを利用してもいいでしょう。

（「カレンダーを活用しよう」『アウトラインから書く小説再入門』 44-45頁）

■ 年 ✎ **1920**　　■ 月 ✎ **8**

SUN	MON	TUE	WED	THU	FRI	SAT
1	**2**	**3**	**4**	**5**	**6**	**7**
飛行中の複葉機の上空から女性が落下	少年が「天使」を発見	保安官がパイロットを脅す	航空ショー予選	搭乗券販売	航空ショー	兄弟げんか
____	____	____	____	____	____	____
____	____	____	____	____	____	____
____	____	____	____	____	____	____
____	____	____	____	____	____	____

エクササイズ

■ 年 ✎ _____ ■ 月 ✎ _____

SUN	MON	TUE	WED	THU	FRI	SAT
____ ✎	____ ✎	____ ✎	____ ✎	____ ✎	____ ✎	____ ✎
____ ✎	____ ✎	____ ✎	____ ✎	____ ✎	____ ✎	____ ✎
____ ✎	____ ✎	____ ✎	____ ✎	____ ✎	____ ✎	____ ✎
____ ✎	____ ✎	____ ✎	____ ✎	____ ✎	____ ✎	____ ✎
____ ✎	____ ✎	____ ✎	____ ✎	____ ✎	____ ✎	____ ✎
____ ✎	____ ✎	____ ✎	____ ✎	____ ✎	____ ✎	____ ✎

選曲リスト

ストーリーにぴったりの歌や、新しいひらめきをくれる曲に出会うたびに選曲リストに入れておきましょう。それぞれのキャラクターに合うテーマソングも見つけて下さい。何かアイデアが欲しいな、と思うたびに聴いてみること。出版にこぎ着けた時には、読者にシェアするのも楽しいものです。あなただけのサウンドトラックを作ってみましょう。

エクササイズ

■ 小説のテーマソング 🖉 _____

■ 主人公のテーマソング 🖉 _____

■ 敵対者のテーマソング 🖉 _____

■ 恋の相手のテーマソング 🖉 _____

■ 相棒／親友のテーマソング 🖉 _____

■ 師／メンターのテーマソング 🖉 _____

■ オープニングの章の曲 🖉 _____

■ 第1幕／普通の世界の曲 🖉 _____

■ プロットポイント1／人生激変の曲 🖉 _____

■ 第2幕の前半／バランス崩壊の曲 🖉 _____

■ ミッドポイント／真実の瞬間の曲 🖉 _____

■ 第2幕の後半／行動の曲 🖉 _____

■ プロットポイント2／絶体絶命の曲 🖉 _____

■ 第3幕／決意の曲 🖉 _____

■ クライマックス／最終バトルの曲 🖉 _____

■ 解決／エンドロールの曲 🖉 _____

その他の曲

■ 曲名

■ メモ

■ 曲名

■ メモ

■ 曲名

■ メモ

■ 曲名

■ メモ

■ 曲名

■ メモ

■ 曲名

■ メモ

■ 曲名

■ メモ

第1章

第2章

第3章

第4章

第5章

第6章

第7章

キャラクターのキャスティング

　私たちはみな、自分の小説がベストセラーになって映画化され、大ヒットするのを夢見ます。今からキャラクターを演じる俳優を想定してみても、いいでしょう。顔や声、身のこなしなどをキャラクターに重ねれば、イメージが鮮やかにつかめます。以下のキャラクターについて、あなたの理想のキャスティングをしてみましょう。

エクササイズ

■ 主人公 ✎ _____

■ 敵対者 ✎ _____

■ 恋の相手 ✎ _____

■ 相棒／親友 ✎ _____

■ 師／メンター ✎ _____

その他のキャラクター

■ キャラクターの名前 ✎ _____

■ 俳優名 ✎ _____

■ キャラクターの名前 ✎ _____

■ 俳優名 ✎ _____

■ キャラクターの名前 ✎ _____

■ 俳優名 ✎ _____

■ キャラクターの名前 ✎ _____

■ 俳優名 ✎ _____

■ キャラクターの名前 🖊 _____

■ 俳優名 🖊 _____

■ キャラクターの名前 🖊 _____

■ 俳優名 🖊 _____

■ キャラクターの名前 🖊 _____

■ 俳優名 🖊 _____

■ キャラクターの名前 🖊 _____

■ 俳優名 🖊 _____

■ キャラクターの名前 🖊 _____

■ 俳優名 🖊 _____

■ キャラクターの名前 🖊 _____

■ 俳優名 🖊 _____

■ キャラクターの名前 🖊 _____

■ 俳優名 🖊 _____

■ キャラクターの名前 🖊 _____

■ 俳優名 🖊 _____

■ キャラクターの名前 🖊 _____

■ 俳優名 🖊 _____

おわりに

　数年前に、私はオーストラリアアルプス山脈を訪れる機会がありました。振り返れば、人生の中で最も大きな学びを得た体験でした（というのも、当時、私は中世を舞台にした小説『Behold the Dawn』を構想中。自分のアウトラインの方法を完成させたのがこの時だったからです）。でも、旅行に出る前の数日間、気になっていたのは荷造りのことばかり。国際線のフライトや、旅行中の留守宅のことも気がかりでした。

　私は旅慣れたタイプではありません。行って帰ってくるのはいいのです。いろいろな土地を見て、変わった空気に触れ、多くの人々と出会うのは素晴らしい。しかし、旅行の準備となると、なんとも気が重くなります。

　そんな私に、賢い人（私の母）が言いました。「旅行はね、楽しみにしている内が一番いい時なのよ」と。つまり、計画です。旅立つ前の期間を楽しめなかった時の私では、期待に胸をふくらませるチャンスを逃していただけでなく、旅そのものをスムーズにし、充実させるのも困難だったのだとわかりました。休暇旅行に出たことがある人はみな経験していることでしょう。計画が足りなければ、出発の時からもう、まごついてしまいます。

　小説も同じです。

　「創作過程の中で、どこが一番好きですか?」とよくご質問を頂きます。どの段階も、それなりのよさがありますが、私はやはりアウトライン作りが好きです。初稿を書く時のワクワクした、新鮮な体験が予想できるからです。アウトラインは私にとって、初めて紙面でストーリーと出会う時。出発点から終着点まで、旅がスムーズに進むかを確認する作業でもあります。

　計画をしっかりするほどストーリーはよくなります。計画の時間を楽しく、心躍るものにするほど、アウトラインは充実します。

　ストーリー創作への理解と共に、あなたのストーリーへの理解も深めるために、このワークブックを役立てて頂けたら幸いです。ワークはここでおしまいですから、できる限りの準備ができたも同然。搭乗券を手に、あなたの作家人生をかけた旅に飛び立って下さい。創作は天高く、雄大な山脈のよう。アルプスのどこかでお会いしましょう!

2014年11月　K.M. ワイランド

謝辞

　執筆に際してお力添えを下さった方々を思い出しながら、謝辞を書かせて頂く時はいつも喜びを感じます。どの本を書く時も、その本について大きな影響を与えて下さった方々がいます。本書の刊行についてお世話になった方々を、順不同で掲載させて頂きます。

　原稿のチェックを引き受けてくれた私の友人たちへ。執筆のプロセスをいつも深く考えさせてくれる、ロンドン・クロケット。くまのプーさんのアバターと同じほどスイートなスティーブ・マティセン。いつも率直な意見と励ましをくれるローナ・G・ポストン。処女作の準備で多忙な中、ワークブックを読む時間をくれたリバティ・スピーデル。私を考えさせ、笑わせてくれるブレイデン・ラッセル。共に作家活動ができることを誇りに感じさせてくれるアリ・ルーク。『アウトラインから書く小説再入門』の質問のスプレッドシートを送ってくれたショトーナ・ハヴィッグに心から感謝します。また、ジム・バーニングはワークブックを刊行するアイデアを最初にくれました。ありがとうございました。

　そして最後に、いつも私を支えてくれる家族に。そして、姉妹でありアシスタントであり、一番のファンだと言ってくれるエイミーに。本当に、ありがとう。

訳者あとがき

　どのページをめくっても、質問がずらりと並び、あとは空白。このワークブックを開いた瞬間に「ああ、こんな自由がほしかった」と笑みを浮かべた方はいらっしゃるでしょうか。思い浮かぶことを何でも書ける、創作者のためのワンダーランドのような本書をお届けすることができて、とても嬉しく思います。

　著者K.M.ワイランドさんの再入門シリーズ第1作『アウトラインから書く小説再入門』の日本語版刊行は2013年。以来、熱いご支持を頂き、ロングセラーとなりました。このワークブックはその実践版として、創作をするあなたの発想と計画をサポートする、心強い助っ人です。ワイランドさんの創作指南書シリーズは本国アメリカでも絶賛され、紙の本も、電子版の書籍とワークブックのセットも両方入手する読者も多いようです。

　人気の理由はシリーズ全体の組み立て方にもあるでしょう。既刊の日本語版をご存じの方も多いと思いますので、ざっと振り返ってみたいと思います。

　第2作『ストラクチャーから書く小説再入門』は、発想と計画をストーリーの構成の面から検証し、鍛え上げるための本。アウトラインで存分に個性を発揮した後で、「個性は『型』にはめればより生きる」と、日本語版の副題が示唆しています。

　第3作『キャラクターからつくる物語創作再入門』は、登場人物の思考や価値観、感情をストーリーの構成と照らし合わせられるようになっています。

　1作目は物語を創る自分のために、2作目はストーリーのために、3作目はキャラクターのために——どれも少しずつ内容がオーバーラップしていますから、それぞれを相互に関連づけながら、物語を練って頂けるかと思います。さらに本国では、テーマを掘り下げる指南書も発売されています。

　なんとも奥が深く、緻密で豊かなストーリー創作の世界。ストーリーを形にする前の段階では、ぜひ、このワークブックを大活躍させて下さい。

シカ・マッケンジー

著者

K.M. ワイランド ｜ K.M.Weiland

アメリカ合衆国ネブラスカ州出身。インディペンデント・パブリッ
シャー・ブック・アワードを受賞する他アメリカ国内で高く評価され
ている。『アウトラインから書く小説再入門』『ストラクチャーから書
く小説再入門』『キャラクターからつくる物語創作再入門』（以上フィ
ルムアート社）など創作指南書を多数刊行。また作家としてディー
ゼルパンク・アドベンチャー小説『Storming』や、中世歴史小説
『Behold the Dawn』、ファンタジー小説『Dreamlander』等、ジャ
ンルを問わず多彩な作品を発表している。ブログ「Helping
Writers Become Authors」やSNSでも情報を発信中。

訳者

シカ・マッケンジー ｜ Shika Mackenzie

関西学院大学社会学部卒業。「演技の手法は英語教育に取り入れ
られる」とひらめき、1999年渡米。以後ロサンゼルスと日本を往
復しながら、俳優、通訳、翻訳者として活動。教育の現場では、
俳優や映画監督の育成にあたる。『アウトラインから書く小説再入門』
『ストラクチャーから書く小説再入門』『キャラクターからつくる物語
創作再入門』（以上フィルムアート社）と、これまでに日本で刊行
されたK.M. ワイランドの著書すべてを翻訳している。他訳書は『ハ
リウッド式映画制作の流儀』『記憶に残るキャラクターの作り方』（以
上フィルムアート社）など。

〈穴埋め式〉
アウトラインから書く
小説執筆ワークブック

2021年6月25日　初版発行

著者　　　　　　K.M. ワイランド
訳者　　　　　　シカ・マッケンジー
ブックデザイン　イシジマデザイン制作室
編集　　　　　　伊東弘剛(フィルムアート社)
発行者　　　　　上原哲郎
発行所　　　　　株式会社フィルムアート社
　　　　　　　　〒150-0022
　　　　　　　　東京都渋谷区恵比寿南1-20-6
　　　　　　　　第21荒井ビル
　　　　　　　　Tel. 03-5725-2001
　　　　　　　　Fax. 03-5725-2626
　　　　　　　　http://www.filmart.co.jp

印刷・製本　　　シナノ印刷株式会社

© 2021 Shika Mackenzie
Printed in Japan
ISBN978-4-8459-2100-3　C0090

落丁・乱丁の本がございましたら、お手数ですが小社宛にお送りください。
送料は小社負担でお取り替えいたします。